知的生きかた文庫

# 2006年版
# 図解 世界の業界地図が一目でわかる本

ビジネスリサーチ・ジャパン



三笠書房

●はじめに――

# 日本企業の位置づけ、世界企業との関係が、図解でわかる

２００６年２月２日、松下電器産業はわずかに保有していた米ユニバーサル・スタジオ関連（旧ＭＣＡ）の株式をすべて売却することを発表しましたが、そのニュースを聞いて、「そういえばそんなこともあったな」となつかしく思い出した人もいたことでしょう。

米ＭＣＡは、劇場・テレビ用作品の制作や配給、ハリウッドなどにあるユニバーサル・スタジオの運営を手がけていた世界的な総合エンタテインメント企業。松下がそのＭＣＡを株式所有１００％の完全子会社にしたのは１９９０年のことでした。漫画『島耕作』シリーズでもそれとおぼしき買収劇ストーリーが描かれています。

バブル経済が崩壊するのはその後のことです。当時は、好調な日本経済を背景に、国内企業は海外でいくつかの大型Ｍ＆Ａ（企業の合併・買収）を手がけました。そし

てそのなかでも8000億円弱を投資しての松下のMCA買収は日本企業による〝ハリウッド進出〟と、大きな話題を呼んだものです。
だが、松下は1995年に大半の株式（80％）を売却。その相手先は、シーグラム（カナダ）でした。
シーグラムといえば、〝シーバスリーガル〟ブランドで知られた蒸留酒メーカー。キリンビールと合弁でキリン・シーグラム（現キリンディスティラリー）を展開していました。ではなぜ酒造メーカーであるはずのシーグラムが、エンタテインメント企業のMCAを買収したのでしょうか。
実は、シーグラムは、酒類事業をフランスのペルノ・リカール、それに〝ジョニーウォーカー〟などで有名な洋酒大手のディアジオ（英）に売却、ヴィヴェンディ（仏）と合併し、ヴィヴェンディ・ユニバーサルとして世界的なエンタテインメント・メディア企業に変身したのです。今回、松下がユニバーサル関連の株式を売却した先は同社です。
ただし、そのヴィヴェンディ・ユニバーサルの映像娯楽部門は、NBC（米）と統合されました。現在のNBCユニバーサル（米）の誕生です。米テレビネットワーク大手のＮＢＣや映画のユニバーサルピクチャーズ、ユニバーサルパークス＆リゾーツなどを傘下に収める大企業です。そして、そのＮＢＣユニバーサルを事実上支配しているのは、世界的大企業、米ゼネラル・エレクトリック（ＧＥ）なのです。

日本でも２００１年から、ユニバーサル・スタジオ・ジャパンがオープンしています。２００４年度の入場者数は８１０万人、売上高は７００億円です。こうしたユニバーサル・スタジオひとつに注目しただけでも、その裏では大型の国際的なＭ＆Ａが繰り広げられていたりするのです。

大型のＭ＆Ａといえば、民営化される日本郵政公社がモデルとするドイツポストも代表的な存在です。

１９８9年に国営だったブンデスポストが郵政事業、金融事業、通信事業と3分割され、郵政事業は94年にドイツポストと株式会社化・改名し、その後ＤＨＬ（米）やエクセル（英）といった物流会社を傘下に収めることで大手国際物流会社に成長。一度は分かれた金融事業（ポストバンク）もグループ化しているほどです。

ここにきて、日本企業による国際的なＭ＆Ａも目立つようになってきました。

富士写真フイルムは、インクジェットプリンター向けインク染料世界最大手の英アビシアを約3００億円超で買収。東芝は原子力発電プラントメーカーのウェスチングハウス・エレクトリック（米）を6０００億円超で買収する契約を締結しています。日本板硝子は年間売上の2倍以上の総額6１００億円超で英国大手ガラスメーカーのピルキントンを買収。ソフトバンクも携帯電話世界最大手の英ボーダフォンの日本法人を買収の方向です。

活発化する国境を越えた企業合併、あるいは事業統合は、私たちにとっても無縁の世界の話ではありません。ビジネスマンであれば、M&Aなどにより予想もしていなかった強力なライバルが突如として出現する事態に直面することもありえるでしょう。普段手にしている商品や受けているサービスが、海外企業によるものであることは珍しくありませんが、その会社が一夜にして変わることもあるはずです。

また、合併や事業統合ばかりでなく、海外勢と日本企業の提携、販売・仕入関係となると数限りなくありますが、そのなかには意外な組み合わせも珍しくありません。たとえば、中堅の電機メーカーである船井電機の主要販売先は世界一のスーパー、米ウォルマート・ストアーズです。日本を代表する世界的な企業のひとつであるキヤノンのグループ売上の約2割は、ライバル関係にもある米国のヒューレット・パッカード（HP）向けです。

「気になる海外のA社の売上高は意外に多い（少ない）な」……。「そうかB社とC社は資本提携しているのか」……。

国内に限らず広く海外企業を含めた業界の動向や企業の動きに注目してみると、新しい発見に出合ったり、視野が広がることはまちがいありません。

本書は、各業界で活躍している世界的な企業を中心に紹介しています。とくに、日本企業の各業界におけるポジションや海外勢との提携関係などについても、わかりやすく図解にしています。決算発表が間に合った企業については、できるだけ05年12月期の数字を掲載するようにしました。

連日のように報道される国際的な企業提携や事業統合、あるいは買収というニュースに接したとき、本書でこれまでの経緯や業界勢力図などを確認していただければ、世界的企業の動静がより身近に感じてもらえるのではないかと自負しています。

ビジネスリサーチ・ジャパン　代表・鎌田正文

『2006年版《図解》世界の業界地図が一目でわかる本』◆目次

●はじめに　日本企業の位置づけ、世界企業との関係が、図解でわかる……3

PART 1 流通・ブランド・運輸関連……17
生き残る企業は？

◆流通……18
年間売上高36兆円超！　世界一位のウォルマート
――〝店舗数世界一〟のセブン&アイも世界上位に進出

◆世界のブランド……26
LVMH、リシュモン、グッチが世界3大グループ
――バリー・ジャパン、オンワード樫山の今後は？

◆スポーツ用品……32
コンバースなどを傘下にする米ナイキが世界トップを独走
――米リーボックを買収した独アディダス・サロモンは追撃なるか？

◆物流……36

売上高でトヨタを上回る会社、郵政公社はドイツポストをめざす
――民営化で国際物流大手のUPSやフェデックスと戦えるか？

◆航空……40
エールフランスもKLMも、ルフトハンザ航空も世界的再編へ
――日本航空も、ついにワンワールド加盟

◆海運……46
デンマークのAPモラーが、コンテナ輸送力・売上とも、世界一
――3大アライアンスにそれぞれ加盟する、日本大手3社の実力は？

## PART 2

# 情報・通信・サービス関連……55

## 大再編で、塗り替えられた勢力図

◆エンタテインメント・メディア……56
GE、ディズニー、バイアコムなどが大手メディアを支配
――7兆円のうち1兆円を音楽と映画で稼ぎ出すソニー

◆通信……64
米AT&Tの解体に象徴される再編劇の激化！
――日本のNTTは、売上高世界一を維持できるか？

◆ネット関連……70
売上高も利益も急増のグーグル、独走！
――ＡＯＬ、アマゾン、イーベイの企業規模は？
◆広告……72
オムニコムなど欧米４大グループの実力は？
――４強の一角パブリシスに資本参加する電通が事実上の世界一？
◆ホテル……76
40年ぶりの再統合で、世界最大のホテルチェーン「ヒルトン」誕生
――ゴールドマンなど金融グループも日本ホテル市場に参戦！

PART 3
金融関連……89
世界のお金を支配する金融機関

◆銀行……90
総資産世界一は、三菱ＵＦＪフィナンシャル・グループ
――世界で利益を出す海外勢に対し、海外展開が遅れる日本の大銀行は？

◆証券・投資銀行……96
投資銀行の世界的大手、モルガン・スタンレー、メリルリンチ
――野村をはじめとする日本勢は、業務提携で世界をめざす！

◆生命保険……102
アクサ(仏)とＩＮＧグループ(オランダ)が世界の〝２強〟
――日本生命や第一生命など日本勢も、資産規模では世界大手

◆損害保険……106
巨大保険・金融グループのアリアンツ(独)、ＡＩＧ(米)
――国内トップのミレアホールディングスの今後は？

PART 4
エネルギー・食品飲料・宇宙防衛・建設関連……113
欧米〝メジャー〟ＶＳアジア勢

◆石油……114
５大メジャーを追撃するシノペックなど中国勢
――日本の最大手、国際石油開発は帝国石油と経営統合

◆**鉱山・非鉄**……118
アングロ・アメリカンなどが〝鉱物・非鉄メジャー〟を形成
――三井物産、伊藤忠商事、三菱商事の展開は？
◆**食品**……124
フィリップモリスのアルトリアやネスレが世界トップを競う
――日本最大手の味の素は、アルトリアやダノンなどと提携！
◆**食糧生産**……132
世界の食糧を支配する〝穀物メジャー〟最大手カーギル（米）
――米国最大の牛肉、豚肉の購入者はマクドナルド
◆**タバコ**……134
世界販売は「マールボロ」が圧倒、2位が「マイルドセブン」
――米レイノルズの世界的ブランドも展開するJTは世界第何位？
◆**ビール**……136
M&Aでインベブ（ベルギー）やSABミラー（英）などが誕生
――国別消費量トップの中国で、世界大手が激突！
◆**宇宙・防衛**……140
世界一の米ボーイングを、ヨーロッパ2社で組むエアバスが追う
――海外勢と提携する三菱重工、川崎重工、石川島播磨の展開は？

◆建設……146
海外工事の比率が高いのは、ブイグ、ヴァンシなど海外大手建設会社
――〝スーパーゼネコン〟大成建設、鹿島、清水建設の課題は？

## PART 5 素材・製造関連……155

### M&Aと技術力の差

◆鉄鋼……156
売上高でティッセン、鉄鋼生産量でミタルが世界一
――新日鉄、ＪＦＥは売上高、鉄鋼生産量とも世界3位、4位と健闘

◆紙・パルプ……162
企業別世界トップは米インターナショナルペーパー
――日本の〝2強〟は王子製紙と日本製紙グループ本社

◆ガラス・セメント……164
板ガラス世界トップの旭硝子、液晶用首位のコーニングを追走
――日本板硝子の買収提案を英ピルキントンは拒絶！

◆化学……166
ドイツ勢BASF、バイエル、米国勢ダウ・ケミカル、デュポンの4大グループ
——日本勢では、三菱化学が世界5位クラス

◆医薬品……172
世界最大の医薬品会社、米ファイザーは売上6兆円に迫る！
——日本国内トップの武田は、世界ランク15位前後

◆化粧品・トイレタリー……178
国際的M&Aを展開する世界大手のP&G、J&J、ユニリーバ……
——カネボウを傘下に収めた花王、そして資生堂は？

◆総合電機……182
シーメンスを筆頭に、日立、松下などが売上規模で世界上位！
——韓国勢のサムスン、LG電子も世界トップ10にランクイン

◆OA機器……186
キヤノンやリコーなど、日本勢が世界をリード！
——日本勢のライバルは、米ヒューレット・パッカード

◆**携帯端末**……188
世界中で携帯を売りさばくノキア(フィンランド)の実力
――第2位モトローラ(米)、第4位シーメンス(独)

◆**携帯音楽プレーヤー**……190
2250万台出荷の「iPod」でひとり勝ちのアップル
――対するソニー「ウォークマン」の見通しは？

◆**半導体**……192
首位インテルは、アップル陣営も引き入れ盤石の地位を築く
――日立、ルネサス、東芝による共同生産構想は実現するか？

◆**コンピュータ**……194
パソコン2強のデル、HPを、レノヴォ(中国)などアジア勢が追走
――大型コンピュータで世界一のIBMは、パソコン事業を売却

◆**ソフトウェア・コンピュータサービス**……196
パソコンOS「ウィンドウズ」で他を圧倒するマイクロソフト
――世界のソフトウェア2位は米オラクル

◆**自動車関連**……198
販売不振などで苦境にあえぐ世界トップのGM、フォード
――トヨタは、生産台数900万台で世界の頂点を視野に！

コラム①海外企業の役員構成はどうなっている？……52
コラム②海外企業の経営トップの報酬はどれくらい？……86
コラム③中国企業と、日本など海外勢の提携関係は？……110
コラム④中国の主要企業の実状は？……150
企業索引……221

本文・図版デザイン／井上聡司

# PART 1

# 流通・ブランド・運輸関連

## 生き残る企業は？

流通

# 年間売上高36兆円超！ 世界一位のウォルマート

## ――〝店舗数世界一〟のセブン&アイも世界上位に進出

世界の流通トップは、〝オールウェイズ・ロープライス（いつも低価格）〟の米**ウォルマート・ストアーズ**。06年1月期売上高36兆円超は、トヨタ自動車とホンダ、それに日産自動車の3社連結売上高合計（05年3月期約35兆7000億円）を上回る数字。流通業どころか全産業を通しても抜きん出ており、毎年のように世界トップの座を石油のエクソンモービル（米）やBP（英）、ロイヤル・ダッチ・シェル（オランダ）と競う（05年はシェルがトップ）。

ディスカウントストアやスーパーセンター、会員制店舗「サムズ・クラブ」など、全米で3702店舗。カナダ、メキシコ、プエルトリコ、ブラジル、アルゼンチン、英国、ドイツ、中国、韓国で1587店舗。全世界では5289店舗（05年1月末現在）を数える。02年にスーパーの**西友**に出資する形で日本に進出しているが、05年末には出資比率を50％超に高めて本格展開の姿勢を強めているほか、全米では3000弱にも及ぶ新規出店を計画しているともいわれている。

## 世界の流通大手――トップ9

〈06年1月期〉

**ウォルマート・ストアーズ(米)**
WAL-MART STORES
売上高　36兆3002億円（3156.54億ドル）
純利益　1兆2915億円（112.31億ドル）

02年資本参加
05年12月出資比率53.56%に
→ **西友**

**イオン**
日本の8店舗買収
→ カルフール

売上高　33兆1351億円（2881.32億ドル）
純利益　1兆1807億円（102.67億ドル）
従業員　160万人
（05.1）

日本撤退

**カルフール(仏)**
CARREFOUR
売上高　10兆1735億円（726.68億ユーロ）
純利益　1940億円（13.86億ユーロ）
従業員　43万695人
（04.12）

5店舗
**コストコホールセールスジャパン**
日本
1999年出店

ホームセンター

**ホーム・デポ(米)**
HOME DEPOT
売上高　8兆4058億円（730.94億ドル）
純利益　5751億円（50.01億ドル）
従業員　32万5000人
（05.1）

**メトロ(独)**
METRO
売上高　7兆8926億円（564.09億ユーロ）
純利益　1157億円（8.27億ユーロ）
従業員　25万人
（04.12）

**アホールド(オランダ)**
ROYAL AHOLD
売上高　7兆2800億円（520.00億ユーロ）
純利益　▲672億円（▲4.80億ユーロ）
従業員　23万1003人
（05.1）

**テスコ(英)**
TESCO
売上高　7兆4140億円（370.70億ポンド）
純利益　2732億円（13.66億ポンド）
従業員　36万7000人
（05.2）

**クローガー(米)**
KROGER
売上高　6兆4899億円（564.34億ドル）
純利益　▲115億円（▲1.00億ドル）
従業員　28万9000人
（05.1）

**ターゲット(米)**
TARGET
売上高　6兆513億円（526.20億ドル）
純利益　2769億円（24.08億ドル）
従業員　29万2000人
（05.1）

**コストコ(米)**
COSTCO WHOLESALE
売上高　6兆875億円（529.35億ドル）
純利益　1222億円（10.63億ドル）
従業員　11万8000人
（05.8）

2000年設立　会員制卸
**メトロキャッシュアンドキャリージャパン**
06年3号店オープン予定

出資 ← **丸紅**

「つるかめ」など
03年買収
**シートゥーネットワーク**
81店舗（05.3）

そのあまりの巨大さと〝低賃金〟という風評、金融業など新たなビジネスへの進出への警戒心から、一部では〝反ウォルマート〟の動きもあるようだ。ちなみに、ウォルマートを主要販売先にしているのが日本の電機メーカー船井電機。売上高3830億円（05年3月期連結）の約30％がウォルマート向けである。

2位はフランスの**カルフール**。こちらは2000年に日本に進出するも、05年にすべての店舗を**イオン**に売却し撤退。3位はホームセンターの**ホーム・デポ**（米）である。以下、**メトロ**（ドイツ）、**アホールド**（オランダ）、**テスコ**（英）、**クローガー**（米）、**ターゲット**（米）、**コストコ**（米）などと続く。

メトロ、テスコ、コストコはそれぞれ日本に上陸。メトロは総合商社の丸紅と組み、テスコはシートゥーネットワークとフレックを買収する形で進出している。

ここまでが上位9グループだが、日本勢も巻き返しに出た。日本ではイオンに次ぐ**セブン＆アイ・ホールディングス**。イトーヨーカ堂とセブン-イレブン・ジャパンが05年9月に共同で設立した持株会社だが、そのセブン＆アイ・ホールディングスが、06年6月以降、西武百貨店とそごうで結成しているミレニアムリテイリングを傘下に収めることになったからである。単純計算で売上高4兆5000億円の流通グループ

## 世界の流通大手――トップ9入りを競う主要各社

**アルバートソンズ(米) ALBERTSONS**
売上高 4兆5881億円
(398.97億ドル)
(05.2)

**イオン**
売上高 4兆1958億円
(05.2)

**ウォルグリーンズ(米) WALGREENS**
売上高 4兆8532億円
(422.02億ドル)
(05.8)

06年1月身売り発表

**オウシャン(仏) GROUPE AUCHAN**
売上高 4兆2067億円
(300.46億ユーロ)
(04.12)

ホームセンター

**ロウズ(米) LOWE'S**
売上高 4兆1933億円
(364.64億ドル)
(05.1)

**シアーズローバック(米) SEARS ROEBUCK**
売上高 4兆1513億円
(360.99億ドル)
(05.1)

**セーフウェイ(米) SAFEWAY**
売上高 4兆1196億円
(358.23億ドル)
(05.1)

**セブン&アイ・ホールディングス**
売上高 3兆6235億円
(05.2)

**CVS(米)**
売上高 3兆5183億円
(305.94億ドル)
(05.1)

↓統合予定

西武百貨店
そごう

**ミレニアムリテイリング**
売上高 9167億円
(05.2)

**ジェイ・セインズバリー(英) J SAINSBURY**
売上高 3兆2728億円
(163.64億ポンド)
(05.3)

**ベストバイ(米) BEST BUY**
売上高 3兆1547億円
(274.33億ドル)
(05.2)

**JCペニー(米) J.C.PENNY**
売上高 2兆1187億円
(184.24億ドル)
(05.1)

**コールスマイヤー(豪) COLES MYER**
売上高 4兆2061億円
(365.75億ドル)
(05.7)

〈その他〉

**Kマート(米) KMART HOLDINGS**
売上高 2兆2656億円
(197.01億ドル)
(05.1)

**ロッテ・ショッピング(韓国) LOTTE SHOPPING**
売上高 8266億円
(8兆2660億ウォン)
(04.12)

**ハチソンワンポア(香港) HUTCHISON WHAMPOA**
売上高 2兆6912億円
(1794.15億香港ドル)
(04.12)

の誕生である。

アメリカ発のコンビニだが、セブン-イレブン・ジャパンは、本家ともいえる米テキサス州のセブン-イレブンを完全子会社化。その店舗5799などを加えれば1万6688店舗（05年2月末現在）を数え、イトーヨーカ堂や西武百貨店、そごうも加えれば〝店舗数世界一〟といっていいだろう。

日本以外のアジア勢では、ロッテ（韓国）グループの**ロッテ・ショッピング**や通信も手がける複合企業**ハチソンワンポア**（香港）などが代表格。ロッテ・ショッピングはロンドン市場に株式を上場している。ちなみに、韓国の百貨店は92店舗。そのうち、22がロッテで、現代11、新世界7と続いている。

ただし、不採算部門の売却や合併・買収など、流通業界の世界的再編は止まらない。05年、百貨店のシアーズローバック（米）とディスカウントストアのKマート（米）が合併したことで売上高ランクで上位にくることはまちがいないところ。同じく05年には、百貨店のフェデレーティッド・デパートメント・ストアーズ（米）による、同業のメイ・デパートメント・ストアーズ（米）の買収もあった。フェデレーティッドは90年代にメーシーズを傘下に収めている。

## 海外流通大手の主な再編

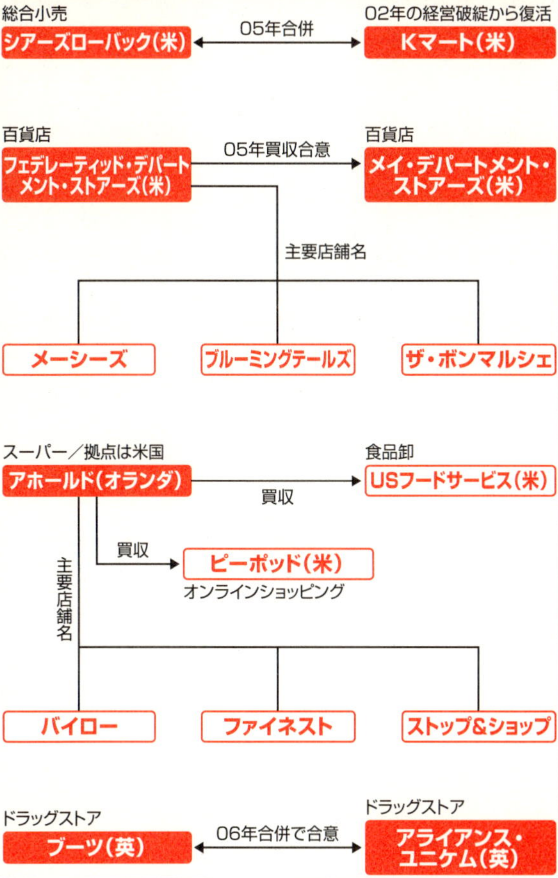
総合小売
シアーズローバック(米)
05年合併
02年の経営破綻から復活
Kマート(米)
百貨店
フェデレーテッド・デパートメント・ストアーズ(米)
05年買収合意
百貨店
メイ・デパートメント・ストアーズ(米)
主要店舗名
メーシーズ
ブルーミングデールズ
ザ・ボンマルシェ
スーパー／拠点は米国
アホールド(オランダ)
買収
食品卸
USフードサービス(米)
買収
ピーポッド(米)
オンラインショッピング
主要店舗名
バイロー
ファイネスト
ストップ&ショップ
ドラッグストア
ブーツ(英)
06年合併で合意
ドラッグストア
アライアンス・ユニケム(英)

そもそも、世界5位クラスのオランダのアホールドは、いまや米国のスーパーといった方が通りがいい。M&A（企業の合併・買収）によって米国に上陸、業績を拡大してきた。米国の大手食品卸のUSフードサービスも買収している。英国ではドラッグストアのブーツとアライアンス・ユニケムが合併で合意。一方で、ドラッグストア部門を売却したのは米JCペニーだ。米ターゲットは百貨店「マービンズ」を売却している。06年1月には米食品スーパーのアルバートソンズが身売りを発表している。

流通再編の象徴は、投資グループによる玩具大手トイザラス（米）の買収。ウォルマート・ストアーズなど流通世界大手の攻勢で売上が低迷したことが背景にある。

その米トイザラスは、日本では、日本マクドナルドホールディングスとの合弁企業日本トイザらスとして展開。その他、日本勢と海外勢の関係では、ダイエーグループから三越グループに転じた百貨店プランタン銀座は、仏PPR（ピノー・プランタン・グループ）系の百貨店プランタンと店舗名使用契約を締結。PPRはグッチ・グループなども擁する（29ページ参照）。伊勢丹は100％子会社のバーニーズジャパンを引き続いて展開しているものの、米国の百貨店バーニーズニューヨークとは資本関係を解消。住友商事はコーチ・ジャパンの株式を売却している。

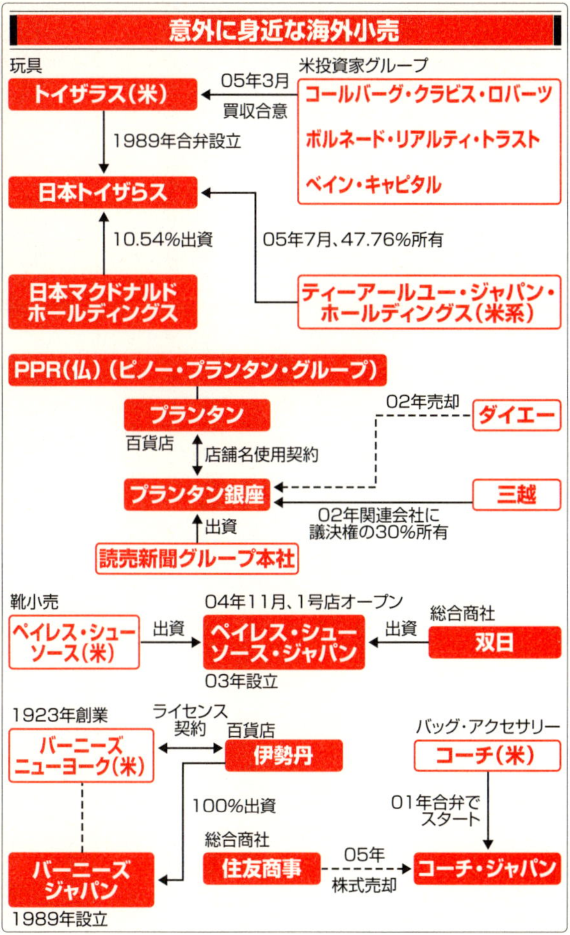
意外に身近な海外小売
玩具
トイザラス(米)
05年3月
買収合意
米投資家グループ
コールバーグ・クラビス・ロバーツ
ボルネード・リアルティ・トラスト
ベイン・キャピタル
1989年合弁設立
日本トイザらス
10.54%出資
05年7月、47.76%所有
日本マクドナルドホールディングス
ティーアールユー・ジャパン・ホールディングス(米系)
PPR(仏)(ピノー・プランタン・グループ)
プランタン
百貨店
店舗名使用契約
02年売却
ダイエー
プランタン銀座
三越
02年関連会社に議決権の30%所有
出資
読売新聞グループ本社
靴小売
ペイレス・シューソース(米)
出資
04年11月、1号店オープン
ペイレス・シューソース・ジャパン
03年設立
出資
総合商社
双日
1923年創業
バーニーズニューヨーク(米)
ライセンス契約
百貨店
伊勢丹
100%出資
バーニーズジャパン
1989年設立
総合商社
住友商事
05年
株式売却
バッグ・アクセサリー
コーチ(米)
01年合弁でスタート
コーチ・ジャパン

世界のブランド

# LVMH、リシュモン、グッチが世界3大グループ

## ——バリー・ジャパン、オンワード樫山の今後は？

ブランドは、もともとは「焼き印」の意味。だれが所有者かを識別するため、牛や豚など家畜の耳や尻などに焼き印をおすことではじまった。やがて、馬具や農機具を作っていた会社が自社商品に使用。フランスの高級ブランドのエルメスやルイ・ヴィトンは馬具屋がルーツ。カルティエやティファニーの宝飾品は、銀食器製造業から起こったものだ。ブランド品は、素材としてのダイヤモンドや金などより値段が高い。「ブランド＝信用」そのものが高い価値を有しているのだ。

その高級ブランド業界は、ほぼ3つに集約されたといっていい。**LVMHモエ・ヘネシー・ルイ・ヴィトン**（仏）、**リシュモン**（スイス）、**グッチ・グループ**（イタリア・オランダ）の3グループだ。

LVMHは1987年にルイ・ヴィトンとモエ・ヘネシーが合併して誕生した会社。売上高は約1兆7000億円（04年。05年12月期は139・09億ユーロ、約1兆9000億円）。日本の百貨店、高島屋グループと三越グループの合計売上高に相

## 世界のブランド①

ルイ・ヴィトン ― モエ・ヘネシー

1987年合併

**LVMH**
**モエ・ヘネシー・ルイ・ヴィトン(仏)**
MOET HENNESSY-LOUIS VUITTON

売上高　1兆7672億円
(126.23億ユーロ)
純利益　1414億円
(10.10億ユーロ)
(04.12)

主要会社

〈ワイン&スピリッツ〉
ドンペリニヨン
- モエ・エ・シャンドン
- ヴーヴ・クリコ・ポンサルダン
- クリュッグ
- ルイナール
- ヘネシー

〈パフューム&コスメティック〉
- パルフィン・クリスチャン・ディオール
- ゲラン
- パルファム・ジバンシィ

〈ウォッチ&ジュエリー〉
- タグ・ホイヤー
- ゼニス
- ショーメ
- フレッド

デビアスグループとの合弁
- デビアスLV

〈百貨店・チェーン店〉
- DFS
- ル・ボン・マルシェ
- ラ・サマリテーヌ

〈ファッション&レザーグッズ〉
- ルイ・ヴィトン
- ロエベ
- セリーヌ
- ジバンシィ
- フェンディ
- ダナ・キャラン
- エミリオ・プッチ
- ケンゾー
- クリスチャンディオール

当する。ブランドとして知られるのはコニャックの「ヘネシー」やシャンパンの「ドンペリニヨン」、時計の「タグ・ホイヤー」や「ゼニス」、宝飾の「ショーメ」など。百貨店のル・ボン・マルシェやラ・サマリテーヌなどもグループに擁する。

だが、LVMHといえば、「ルイ・ヴィトン」「ロエベ」「セリーヌ」「ジバンシィ」「フェンディ」「クリスチャンディオール」など有名ブランドを抱えるファッション・革製品部門だろう。LVMHの3割以上をこの部門が稼ぐ。そしてその半分以上が日本での売上だといわれている（LVMH全体売上では15％が日本）。日本など海外での価格設定は、本国フランスの1・4倍～1・5倍が定説。

リシュモンは「カルティエ」「ダンヒル」「モンブラン」「ピアジェ」などの有名ブランドを展開。1985年にグループ入りした「クロエ」のバッグは日本での人気が高い。また、リシュモンはタバコ世界大手のブリティッシュ・アメリカン・タバコ（英）に出資している。

興味深いのはグッチ・グループ。LVMHによる買収もささやかれたが、仏PPR（ピノー・プランタン・グループ）傘下に入った。PPRはオークションで有名なクリスティーズや百貨店のプランタンなども擁する。金融のアルテミス（仏）もグルー

# 世界のブランド②

**リシュモン（スイス）**
RICHEMONT

出資 → ブリティッシュ・アメリカン・タバコ（英）

売上高　5203億円
（37.17億ユーロ）（05.3）

主要ブランド

- ボーム&メルシエ
- カルティエ
- クロエ
- ダンヒル
- ハケット
- ランセル
- モンブラン
- オフィッチーネ・パネライ
- ピアジェ
- パーディ
- ジャガー・ルクルト
- ヴァンシェロン・コンスタンチン
- ヴァンクリーフ&アーペル
- IWC
- ランゲ・アンド・ゾーネ
- モンテグラッパ
- シャンハイ・タン

**ピノー・プランタン・グループ（仏）**
PPR（PINAULT-PRINTEMPS-REDOUTE）

売上高　2兆4817億円
（177.27億ユーロ）（04.12）

オークション → クリスティーズ

傘下 ↓

**グッチ・グループ（イタリア／オランダ）**
GUCCI GROUP

主要ブランド

- グッチ
- イヴ・サン・ローラン
- セルジオ・ロッシ
- ブシュロン
- バレンシアガ
- ステラ・マッカートニー
- ボッテガ・ヴェネタ
- ベダ
- アレキサンダー・マックイーン

プで、アルテミスは1997年に経営破綻した日産生命の受け皿会社、あおば生命を買収。05年にはそのあおば生命をプルデンシャル・ファイナンシャル（米）に売却し、日本からは撤退している。

イタリアの大手アパレルで「ベネトン」ブランドの衣料などを展開する**ベネトン・グループ**。通信のテレコムイタリアや約3400キロの高速道路を展開するアウトストラーデ（04年度売上高16・86億ユーロ）などとともに、ルチアーノ・ベネトン一族が所有している。

いずれにしても、2000年以降、日本では海外有名ブランドの出店が加速。「ルイ・ヴィトン」「ティファニー」「シャネル」「コーチ」「ブルックブラザーズ」などが東京や大阪の中心街に店舗を構えるようになった。

一方の日本勢はどうか。若い女性に人気の「ビジーB」を展開するバリー・ジャパンがスイスのバリーと総合商社伊藤忠商事の合弁会社（伊藤忠が80％出資）であるように、合弁展開かライセンス契約によるものがほとんど。オンワード樫山が05年に英衣料ジョゼフ、「マーク・ジェイコブス」などのブランドを扱うイタリアの靴メーカー、イリスを買収するなどの動きも出ている。

## 世界のブランド③

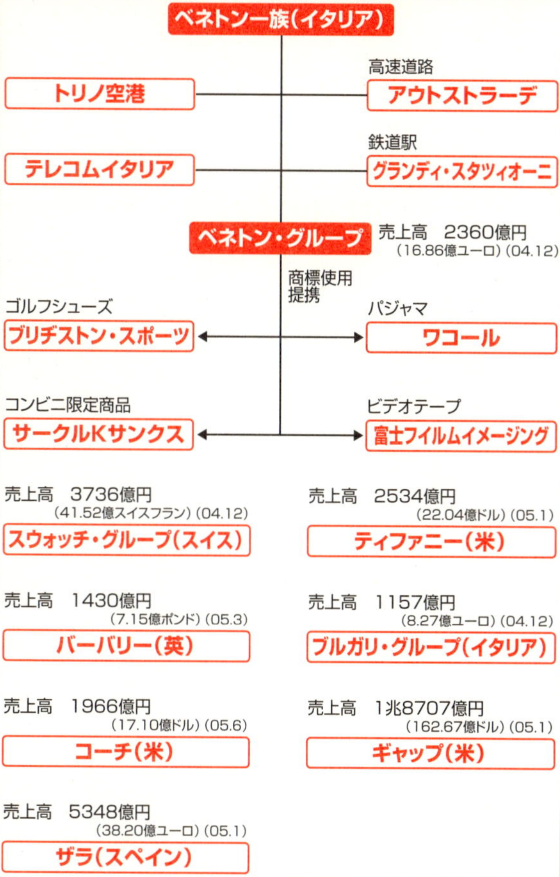
ベネトン一族(イタリア)
トリノ空港
高速道路
アウトストラーデ
テレコムイタリア
鉄道駅
グランディ・スタツィオーニ
ベネトン・グループ
売上高　2360億円
(16.86億ユーロ)(04.12)
商標使用提携
ゴルフシューズ
ブリヂストン・スポーツ
パジャマ
ワコール
コンビニ限定商品
サークルKサンクス
ビデオテープ
富士フイルムイメージング
売上高　3736億円
(41.52億スイスフラン)(04.12)
スウォッチ・グループ(スイス)
売上高　2534億円
(22.04億ドル)(05.1)
ティファニー(米)
売上高　1430億円
(7.15億ポンド)(05.3)
バーバリー(英)
売上高　1157億円
(8.27億ユーロ)(04.12)
ブルガリ・グループ(イタリア)
売上高　1966億円
(17.10億ドル)(05.6)
コーチ(米)
売上高　1兆8707億円
(162.67億ドル)(05.1)
ギャップ(米)
売上高　5348億円
(38.20億ユーロ)(05.1)
ザラ(スペイン)

## コンバースなどを傘下にする米ナイキが世界トップを独走

### ――米リーボックを買収した独アディダス・サロモンは追撃なるか？

05年、スポーツ用品世界2位の**アディダス・サロモン**（独）は、米大手の**リーボック**を買収した。その費用は約38億ドル。1ドル115円換算で4300億円という巨額買収劇である。これで世界のスポーツ用品業界は、**ナイキ**（米）とアディダス・サロモンの2強体制に入った。

国内勢の大手**アシックス**や**ミズノ**の年間売上高は1500億円弱。それに対して、ナイキは1兆5000億円企業。リーボックを加えたアディダス・サロモンもそれに近づく。日本勢とは10倍程度の企業格差がある。

とくにナイキは、01年94億ドル、02年98億ドル、03年106億ドル、04年122億ドル、そして05年5月期は137億ドルと毎年売上を伸ばしている。カジュアルウェアのコール・ハーンやコンバース、ハーレー・インターナショナルなどのグループ会社を抱えている。

リーボックを買収したアディダス・サロモンは、1997年に独アディダスがスキ

## スポーツ用品①

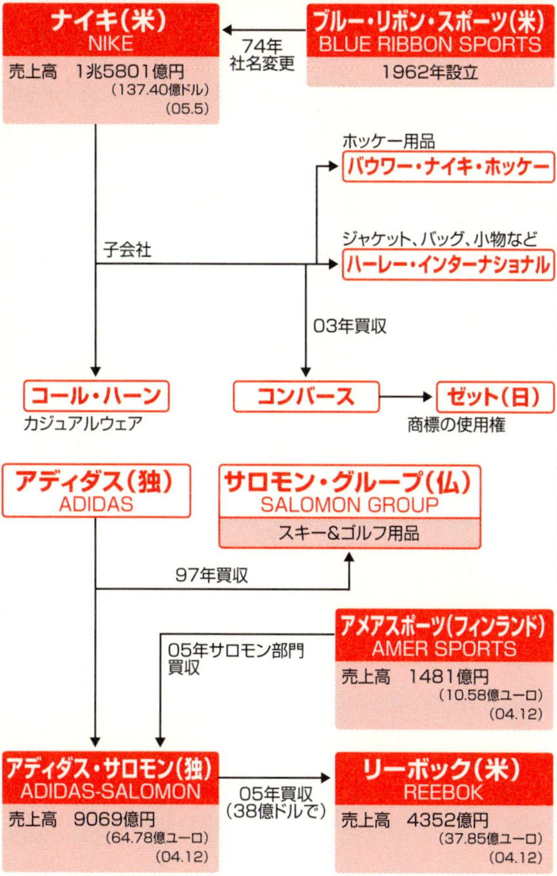
ナイキ(米)
NIKE
売上高　1兆5801億円
(137.40億ドル)
(05.5)
74年
社名変更
ブルー・リボン・スポーツ(米)
BLUE RIBBON SPORTS
1962年設立
ホッケー用品
バウワー・ナイキ・ホッケー
ジャケット、バッグ、小物など
ハーレー・インターナショナル
子会社
03年買収
コール・ハーン
カジュアルウェア
コンバース
ゼット(日)
商標の使用権
アディダス(独)
ADIDAS
サロモン・グループ(仏)
SALOMON GROUP
スキー&ゴルフ用品
97年買収
アメアスポーツ(フィンランド)
AMER SPORTS
売上高　1481億円
(10.58億ユーロ)
(04.12)
05年サロモン部門
買収
アディダス・サロモン(独)
ADIDAS-SALOMON
売上高　9069億円
(64.78億ユーロ)
(04.12)
05年買収
(38億ドルで)
リーボック(米)
REEBOK
売上高　4352億円
(37.85億ユーロ)
(04.12)

ーなどウインタースポーツ関連の仏サロモンを買収して誕生した会社である。米リーボックを買収したことで大リーグやアメリカンフットボールのＮＦＬなどでのビジネス拡大をめざすとしている。06年は地元ドイツでサッカーのワールドカップも開催されるが、その試合ボールの開発も担当した。

ただし、アディダス・サロモンはスキーなどのサロモン事業をフィンランドの**アメアスポーツ**に売却。アメアスポーツはゴルフなどの「ウィルソン」ブランドを展開している会社である。

そのほか、独の**プーマ**やシューズの米**ニューバランス**が主要海外勢。プーマは日本企業の**ヒットユニオン**とライセンス契約。そのヒットユニオンの主要販売先である**ゼット**（日）は、ナイキ傘下のコンバースブランドのスポーツウェアやバッグをライセンス生産している。

米アンブロやスイスのサラガンから商標使用権を獲得している**デサント**（日）は、タイヤのミシュラン（仏）と運動靴を共同開発するなどの動きも見せている。

**ミズノ**は国際陸上競技連盟（ＩＡＡＦ）と08年の世界室内陸上選手権までオフィシャルパートナー契約を結んでいる。

## スポーツ用品②

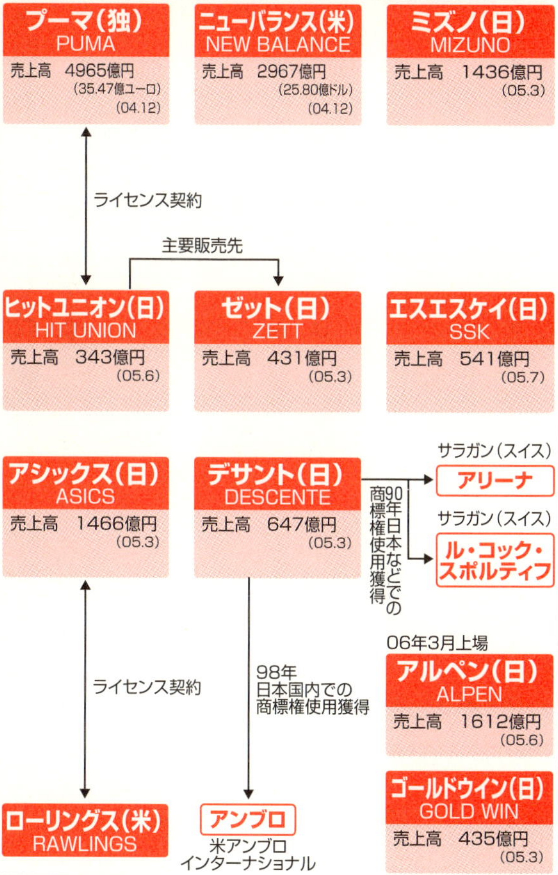
プーマ(独)
PUMA
売上高　4965億円
(35.47億ユーロ)
(04.12)
ニューバランス(米)
NEW BALANCE
売上高　2967億円
(25.80億ドル)
(04.12)
ミズノ(日)
MIZUNO
売上高　1436億円
(05.3)
ライセンス契約
主要販売先
ヒットユニオン(日)
HIT UNION
売上高　343億円
(05.6)
ゼット(日)
ZETT
売上高　431億円
(05.3)
エスエスケイ(日)
SSK
売上高　541億円
(05.7)
アシックス(日)
ASICS
売上高　1466億円
(05.3)
デサント(日)
DESCENTE
売上高　647億円
(05.3)
90年日本などでの商標権使用獲得
サラガン(スイス)
アリーナ
サラガン(スイス)
ル・コック・スポルティフ
ライセンス契約
98年
日本国内での
商標権使用獲得
06年3月上場
アルペン(日)
ALPEN
売上高　1612億円
(05.6)
ローリングス(米)
RAWLINGS
アンブロ
米アンブロ
インターナショナル
ゴールドウイン(日)
GOLD WIN
売上高　435億円
(05.3)

# 物流

## 売上高でトヨタを上回る会社、郵政公社はドイツポストをめざす
### ――民営化で国際物流大手のUPSやフェデックスと戦えるか?

売上高18兆5515億円、純利益1兆1712億円のトヨタ自動車が、売上も儲けも日本一の会社であることに異を唱える人はいないだろう。遠くない将来に世界一の自動車会社の座につくことも確実視されている。だがじつは、トヨタを上回るところが存在する。民営化が決まっている**日本郵政公社**だ。なんと郵政公社の方が売上で2兆円、利益も600億円以上トヨタを上回っている。グループ従業員もトヨタ26万5753人とほぼ双璧である(数値はいずれも05年3月期)。

その郵政公社がモデルとしているのはドイツ。日本がこれまで幾多の分野でモデルにしてきた米国流ではない。意外感を抱くだろうが市場経済のリード役ですべてを民間に委ねていると思われる米国だが、郵便の運営は国の担当。民営化が決まっている日本郵政公社がめざしている方向はドイツ、すなわち**ドイツポスト**である。

今や国境を越えた国際物流で世界トップクラスのドイツポストの誕生は、1989年に端を発する。すなわち日本の郵便局同様に国営だったブンデスポストは同年、郵

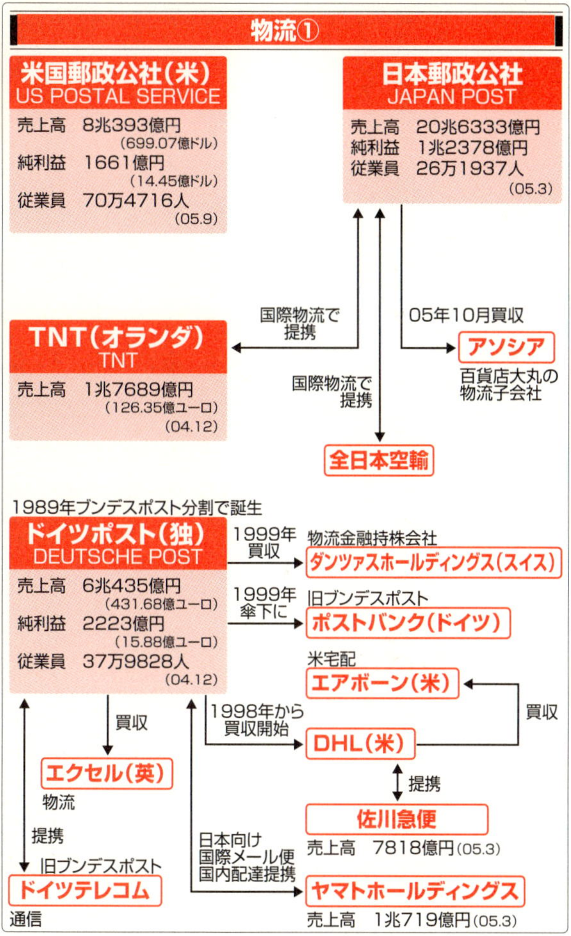
物流①
米国郵政公社(米)
US POSTAL SERVICE
売上高 8兆393億円
(699.07億ドル)
純利益 1661億円
(14.45億ドル)
従業員 70万4716人
(05.9)
日本郵政公社
JAPAN POST
売上高 20兆6333億円
純利益 1兆2378億円
従業員 26万1937人
(05.3)
国際物流で
提携
05年10月買収
TNT(オランダ)
TNT
売上高 1兆7689億円
(126.35億ユーロ)
(04.12)
アソシア
百貨店大丸の
物流子会社
国際物流で
提携
全日本空輸
1989年ブンデスポスト分割で誕生
ドイツポスト(独)
DEUTSCHE POST
売上高 6兆435億円
(431.68億ユーロ)
純利益 2223億円
(15.88億ユーロ)
従業員 37万9828人
(04.12)
1999年
買収
物流金融持株会社
ダンツァスホールディングス(スイス)
1999年
傘下に
旧ブンデスポスト
ポストバンク(ドイツ)
米宅配
エアボーン(米)
買収
1998年から
買収開始
DHL(米)
買収
エクセル(英)
物流
提携
提携
佐川急便
売上高 7818億円(05.3)
日本向け
国際メール便
国内配達提携
旧ブンデスポスト
ドイツテレコム
通信
ヤマトホールディングス
売上高 1兆719億円(05.3)

政事業（ポストディーンスト）、金融事業（ポストバンク）、通信事業（ドイツテレコム）に3分割されたからだ。ポストディーンストはその後、ドイツポストとなり、95年には株式会社化。以後、**DHL**（米）や**エクセル**（英）といった物流会社を傘下に収めることで今日を築いてきた。日本の**佐川急便**はDHLと、**ヤマトホールディングス**はドイツポストと提携関係にある。ただし、ドイツに遅れて郵政民営化をする日本では金融事業を分離することになっているが、ドイツポストは一旦は別れたポストバンクを傘下に収めていることに注目しておいていいだろう。

国際物流業界では、インテグレーターやフォワーダーによる国際的な競争が繰り広げられている。インテグレーターとは、運航機を約670機保有するフェデックス（米）などのように、自前で飛行機を保有しトラック網も整備している会社を指す。**フェデックス**、**UPS**（米）、DHL（独）、**TNT**（オランダ）が世界的大手である。

それに対して、自社では輸送手段を持たないが様々な方法を用いて国際輸送を担うことから「国際航空貨物混載」と呼ばれるのがフォワーダーだ。ドイツポスト傘下に入ったエクセル（英）などが海外の大手。

郵政公社はTNTと提携、全日本空輸とは国際物流の航空貨物運航会社を設立する。

流通・ブランド・運輸関連
情報・通信・サービス関連
金融関連
エネルギー・食品飲料・宇宙防衛・建設関連
素材・製造関連

## 物流②

### UPS(米)
UNITED PARCEL SERVICE

売上高 4兆2069億円（365.82億ドル）
純利益 3832億円（33.33億ドル）
従業員 38万4000人
(04.12)

車両 8万8000台
自社機 268機

国際小口商品業務委託 ← ヤマトホールディングス

### フェデックス(米)
FEDEX

売上高 3兆3767億円（293.63億ドル）
純利益 1666億円（14.49億ドル）
従業員 25万人
(05.5)

車両 4万1000台
自社（運航）機 671機

配達で協力 ↔ 日本通運(日)

### 日本通運(日)
NIPPON EXPRESS

売上高 1兆7533億円
純利益 321億円
従業員 6万5321人
(05.3)

### ラ・ポスト(仏)
LA POSTE

売上高 2兆6147億円（186.77億ユーロ）
(04.12)

### ロイヤルメイルホールディングス(英)
ROYAL MAIL HOLDINGS

売上高 1兆7912億円（89.56億ポンド）
(05.3)

航空

## エールフランスもＫＬＭも、ルフトハンザ航空も世界的再編へ

### ——日本航空も、ついにワンワールド加盟

世界の航空会社の団体であるＩＡＴＡ（国際航空運送協会）に加盟している会社はおよそ２７０社を数えるが、米国勢を中心にとにかく経営破綻が目立つ業界だ。

旅客数と輸送距離を掛け合わせて算出する「輸送実績」で世界一の**アメリカン航空**（米）に次ぐ2位、3位の**ユナイテッド航空**（米）、**デルタ航空**（米）の2社が05年9月、相次いで経営破綻。**ＵＳエアウェイズ**（米）などは02年、04年と2度の経営破綻を経験している。米航空業界では早くから自由化が進み新規参入が相次いだほか、格安航空会社が既存の航空会社から顧客を奪っていることなどが背景にある。

ただし、米国の場合、経営破綻といっても会社解散・消滅ではなく、再生を前提にした方法もある。リストラを進める一方で、年金債務の免除や金融支援を受け、運航を続けながら経営再建を目指すというのが一般的なパターンである。金融のアメリカン・エキスプレスや航空エンジンを手がけるＧＥ（米）といったところが金融支援を受け持つ例もある。

# 航空①

## 〈スターアライアンス〉

**全日本空輸 ANA**
売上高　1兆2928億円
利用者　4860万人
(05.3)

↕ 提携

**アイベックスエアラインズ**
**エアドゥ**
**日本貨物航空**
**スターフライヤー**
**スカイネットアジア航空**

**ユナイテッド航空(米) UNITED AIRLINES**
売上高　1兆8849億円
(163.91億ドル)
利用者　7100万人
(04.12)

03年経営破綻
**エア・カナダ(カナダ) AIR CANADA**
売上高　8989億円
(89.00億カナダドル)
利用者　2220万人
(04.12)

↓ 00年買収

**カナディアン航空**

**ルフトハンザ・ドイツ航空(独) DEUTSCHE LUFTHANSA**
売上高　2兆3751億円
(169.65億ユーロ)
利用者　5090万人
(04.12)

→ 05年買収 → **航空スイス**

02年、04年経営破綻
**USエアウェイズ(米) US AIRWAYS**
売上高　8184億円
(71.17億ドル)
利用者　4151万人
(04.12)

↔ 05年9月合併 ↔ **アメリカウエスト航空**

**ニュージーランド航空**

**スカンジナビア航空(スウェーデン) SCANDINAVIAN AIRLINES SYSTEM**
売上高　8710億円
(580.73億SEK)
利用者　3235万人
(04.12)

オーストリア航空グループ
- **オーストリア航空**
- **シンガポール航空**
- **チロリアン航空(オーストリア)**

**ブリティッシュ・ミッドランド航空(英)**

**ポルトガル航空**

**アシアナ航空(韓国)**

**ラウダ航空(オーストリア)**

**タイ国際航空**

**スパンエア(スペイン)**

**ヴァリグ・ブラジル航空**

国内勢の日本航空と日本エアシステムが経営統合（当初は日本航空システム、現在は**日本航空**に改称。同社は06年2月内紛）したように、合併・再編も目立つ。04年には仏**エールフランス**とオランダの**ＫＬＭ**が経営統合。売上高規模では世界トップクラスの航空会社になっている。05年3月には、独**ルフトハンザ・ドイツ航空**による航空スイスの買収もあった。航空スイスは01年に経営破綻したスイス航空を引き継いだ会社だった。

さて、世界の航空会社は「スターアライアンス」「ワンワールド」「スカイチーム」という3グループに分かれて共同運航などを実施していることは広く知られている。05年3月期に国際線で初めて黒字に転じた**全日本空輸**は、**ユナイテッド航空**（米）や**エア・カナダ**、ルフトハンザ・ドイツ航空（ドイツ）などのスターアライアンスに加盟。そのほか、全日空は国内では、アイベックスエアラインズ（旧フェアリンク）、エアドゥ、スカイネットアジア航空、06年3月に北九州―東京（羽田）間に就航予定のスターフライヤーなどと経営支援・提携関係にある。日本貨物航空は日本郵船の子会社。

日本航空はこれまで、**ニュージーランド航空**やエールフランス、**アリタリア航空**

## 航空②

〈ワンワールド〉

**アメリカン航空**
AMR CORPORATION
売上高 2兆1441億円
(186.45億ドル)
利用者 1億1693万人
(04.12)

**ブリティッシュエアウェイズ(英)**
BRITISH AIRWAYS
売上高 1兆5620億円
(78.1億ポンド)
利用者 3571.7万人
(05.3)

**カンタス航空(豪)**
QANTAS AIRWAYS
売上高 1兆1392億円
(130.95億豪ドル)
利用者 3265.5万人
(05.6)

**イベリア航空(スペイン)**
IBERIA
売上高 6636億円
(47.40億ユーロ)
利用者 2670万人
(04.12)

**キャセイ・パシフィック(香港)**
CATHAY PACIFIC
売上高 5859億円
(390.65億香港ドル)
利用者 1366.4万人
(04.12)

**エアリンガス(アイルランド)**

**フィンランド航空**

**ラン航空(チリ)**

**日本航空**
JAL
売上高 2兆1299億円
利用者 5944.8万人
(05.3)

↔

これまでの主な提携

**ニュージーランド航空**
(日本〜ニュージーランド)
**エールフランス**
(日本〜フランス〜スウェーデンなど)
**アリタリア航空**
(日本〜イタリアなど)
**トルコ航空**
(日本〜トルコ)
**タイ国際航空**
(日本〜タイ)

（イタリア）、**トルコ航空**、**タイ国際航空**などと個々に提携していたが、05年、遂にワンワールドに加盟した。スカイチームに加盟しているのは、デルタ航空やエールフランス―KLM、ノースウエスト航空、**コンチネンタル航空**（米）などである。

スターアライアンス、ワンワールド、スカイチームの3グループに加盟していない航空会社では、**サウスウエスト航空**（米）や**ヴァージンアトランティック航空**（英）が主なところ。

格安航空の代表であるサウスウエストはテキサス州ダラスを拠点にしてスタート。〝社員第一、顧客第二〟といわれるほど従業員が働き易い会社といわれ、それが逆に顧客の信頼を得てきたとされる。破綻が相次ぐなど経営が不安定な航空会社が多い中で、その堅実経営は目立つ。04年12月期も売上高65・3億ドル、純利益は3・13億ドルだった。

ヴァージンアトランティックは、異色の経営者リチャード・ブランソン氏が率いる航空会社。05年2月期決算は売上高が16・3億ポンド、税引前利益は6800万ポンドだった。航空需要の伸びが顕著な中国の代表はエア・チャイナ。そのほか、中国南方航空や中国東方航空などが大手。

## 航空③

### 〈スカイチーム〉

05年9月経営破綻
**デルタ航空(米)** DELTA AIRLINES
売上高　1兆7250億円（150.00億ドル）
利用者　1億1000万人（04.12）

**エールフランス―KLM** AIR FRANCE-KLM
売上高　2兆6709億円（190.78億ユーロ）
利用者　6407万人（05.3）

04年経営統合 ← エールフランス(仏)、KLM(オランダ)

05年9月経営破綻
**ノースウェスト航空(米)** NORTHWEST
売上高　1兆2970億円（112.79億ドル）
利用者　5540万人（04.12）

83年、90年経営破綻
**コンチネンタル航空(米)** CONTINENTAL
売上高　1兆1205億円（97.44億ドル）
利用者　4274万人（04.12）

**大韓航空(韓国)** KOREAN AIR
売上高　7210億円（7兆2109億ウォン）
利用者　2135万人（04.12）

チェコ航空

アリタリア航空（イタリア）

アエロメヒコ航空（メキシコ）

### 〈その他〉

エア・チャイナ(中国国際航空)
サウスウエスト航空(米)
中国南方航空
ライアン航空(アイルランド)
中国東方航空
ヴァージンアトランティック航空(英)
ジェット・エアウェイズ(インド)
南アフリカ航空(南ア)

海運

# デンマークのAPモラーが、コンテナ輸送力・売上とも、世界一

## ——3大アライアンスにそれぞれ加盟する、日本大手3社の実力は？

好調な中国経済などの恩恵を受けている業界のひとつが国内海運業界だが、1964年に6社体制（日本郵船、大阪商船三井船舶、川崎汽船、山下新日本汽船、ジャパンライン、昭和海運）になり、89年の山下新日本とジャパンラインの合併（ナビックスライン）で5社体制に移行。90年代後半には、現在の**日本郵船**、**商船三井**、**川崎汽船**の3社体制になったように、国内海運は再編が進んできた経緯がある。

日本郵船は三菱グループ、商船三井は旧三井系、川崎汽船は旧第一勧業銀行系（現みずほグループ）である。

その日本勢、コンテナ輸送力の世界ランキングでは51ページにあるように10位内外だが売上規模では上位にランクイン、日本郵船は世界2位規模である。

海外勢の再編は国内以上に活発に展開されている。

コンテナ輸送力・売上とも世界一の海運会社は**APモラー・グループ**（デンマーク）である。米シーランドや南アフリカのサフマリンなどを買収してきたことで、主要グ

## 海運①

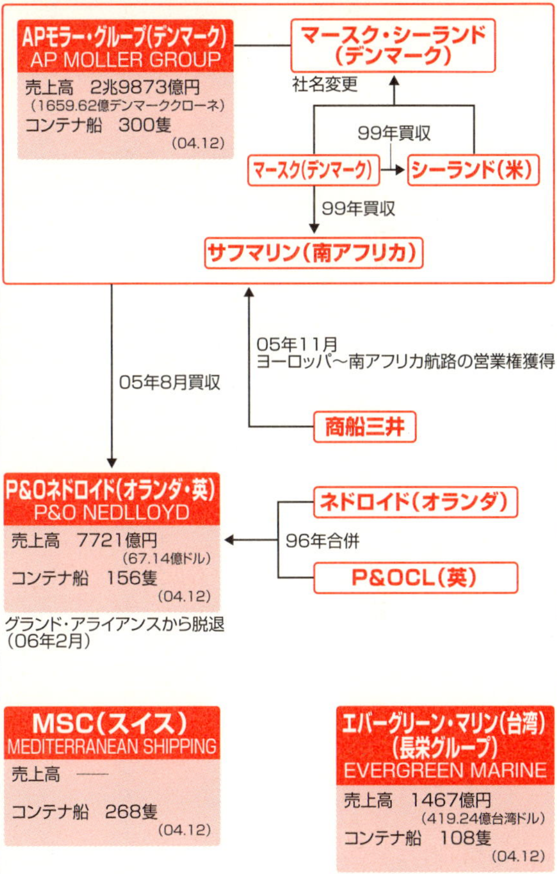
APモラー・グループ(デンマーク)
AP MOLLER GROUP
売上高　2兆9873億円
(1659.62億デンマーククローネ)
コンテナ船　300隻
(04.12)
マースク・シーランド(デンマーク)
社名変更
99年買収
マースク(デンマーク)
シーランド(米)
99年買収
サフマリン(南アフリカ)
05年8月買収
05年11月
ヨーロッパ〜南アフリカ航路の営業権獲得
商船三井
P&Oネドロイド(オランダ・英)
P&O NEDLLOYD
売上高　7721億円
(67.14億ドル)
コンテナ船　156隻
(04.12)
グランド・アライアンスから脱退(06年2月)
ネドロイド(オランダ)
96年合併
P&OCL(英)
MSC(スイス)
MEDITERRANEAN SHIPPING
売上高　――
コンテナ船　268隻
(04.12)
エバーグリーン・マリン(台湾)(長栄グループ)
EVERGREEN MARINE
売上高　1467億円
(419.24億台湾ドル)
コンテナ船　108隻
(04.12)

ループ企業マースク・シーランドが誕生、05年には世界3位から4位クラスの**P&Oネドロイド**（オランダ・英）も手中に収めている。P&Oネドロイド自身も合併で誕生した会社だ。

海上コンテナの取扱では香港とシンガポールが世界一を競う（05年はシンガポールが首位）が、シンガポールが本拠の**ネプチューン・オリエント・ラインズ**はAPL（米）を買収。05年にはヨーロッパの旅行会社大手TUI（独）による、CPシップス（英）の買収もあった。TUIは海運大手**ハパグ・ロイド**（独）の親会社である。

いずれにしても、国内外とも再編により寡占化が進み、とくにコンテナ船の運航ではAPモラーが圧倒的な優位にあるが、日本の商船三井が「欧州―南アフリカ」航路の営業権を獲得したのは、APモラーの寡占状態に対してEU独禁局の指導によるという新たな局面も出ている。

ところで「アライアンス」という言葉を聞くことが多くなった。「国際的な提携」といった意味である。そのアライアンスが早くから活発だったのも海運業界の特徴。現在「グランド・アライアンス」「ザ・ニューワールド・アライアンス」「CKYHアライアンス」の3グループが形成されており、北米や欧州航路などを中心にグループ

## 海運②

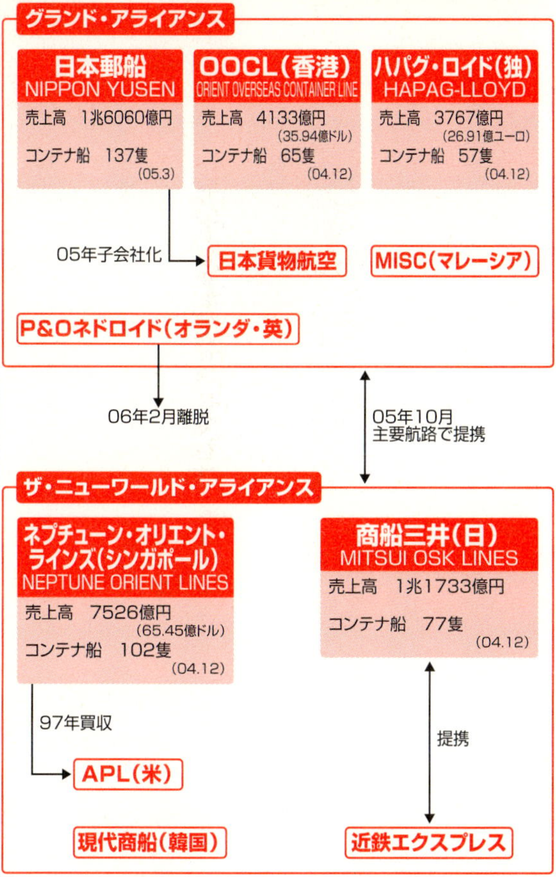
グランド・アライアンス
日本郵船
NIPPON YUSEN
売上高　1兆6060億円
コンテナ船　137隻
(05.3)
OOCL(香港)
ORIENT OVERSEAS CONTAINER LINE
売上高　4133億円
(35.94億ドル)
コンテナ船　65隻
(04.12)
ハパグ・ロイド(独)
HAPAG-LLOYD
売上高　3767億円
(26.91億ユーロ)
コンテナ船　57隻
(04.12)
05年子会社化
日本貨物航空
MISC(マレーシア)
P&Oネドロイド(オランダ・英)
06年2月離脱
05年10月
主要航路で提携
ザ・ニューワールド・アライアンス
ネプチューン・オリエント・ラインズ(シンガポール)
NEPTUNE ORIENT LINES
売上高　7526億円
(65.45億ドル)
コンテナ船　102隻
(04.12)
97年買収
APL(米)
現代商船(韓国)
商船三井(日)
MITSUI OSK LINES
売上高　1兆1733億円
コンテナ船　77隻
(04.12)
提携
近鉄エクスプレス

加盟各社が船を出し合う協力体制にある。

ただし、グランド・アライアンスに加盟していたP&OネドロイドはAPモラーによる買収のため離脱。その一方で、グランド・アライアンスとザ・ニューワールド・アライアンスは主要航路で提携関係に入ったように流動的な要素もある。

日本郵船はグランド・アライアンス、商船三井はニューワールドに加盟。川崎汽船は韓国の韓進海運、中国遠洋運輸集団、陽明海運（台湾）とCKYHアライアンスを組む。

アライアンスに参加していない主要海運会社は、スイスの**MSC**や**エバーグリーン・マリン**（台湾）、フランスの**CMACGM**、**中国海運**（中国）といったところだ。MSCは1970年設立と歴史は浅いが急速に成長して企業で、私企業のため売上高などの数字は公開されていない。エバーグリーンは、台湾の財閥長栄グループの一員である。

なお、日本郵船は全日本空輸が所有していた日本貨物航空の株式を買収して子会社化、商船三井は国際的な航空貨物に定評がある近鉄エクスプレスと提携している。それぞれ陸・海・空の総合的な国際物流会社を目指していることはいうまでもない。

# 海運③

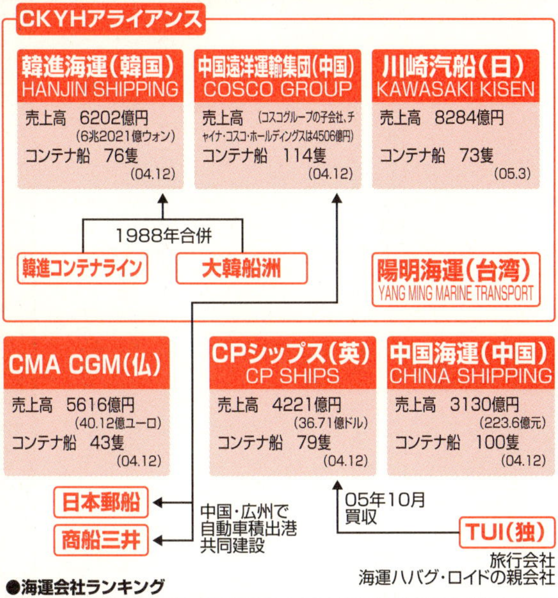


●**海運会社ランキング**

| | | |
|---|---|---|
| 1位 | APモラー・グループ(デンマーク) | 932,804(TEU) |
| 2位 | MSC(スイス) | 622,759 |
| 3位 | エバーグリーン・マリン(台湾) | 460,040 |
| 4位 | P&Oネドロイド(オランダ・英) | 423,101 |
| 5位 | CMA CGM(仏) | 370,639 |
| 6位 | 韓進グループ(韓国) | 304,246 |
| 7位 | APL(米) | 278,025 |
| 8位 | 日本郵船(日) | 272,060 |
| 9位 | COSCO(中国) | 263,874 |
| 10位 | 商船三井(日) | 232,718 |
| 11位 | 中国海運(中国) | 221,379 |
| 12位 | OOCL(香港) | 215,202 |
| 13位 | CPシップス(英) | 194,100 |
| 14位 | 川崎汽船(日) | 193,440 |

(コンテナ輸送能力。TEUはコンテナの本数を20フィート・コンテナに換算。川崎汽船資料より)

## コラム①　海外企業の役員構成はどうなっている?

トヨタ自動車のグループ従業員は26万5753人（05年3月期）。それに対して取締役は26人（単体）。トヨタ本体の取締役になれるのはグループ従業員10万人に9人から10人という狭き門だ。終身雇用堅持を標榜し日本型経営の代表的存在のキヤノンにしても、トヨタと同じように計算すれば、取締役になれるのは10万人に23人程度である。

海外の主要企業も同じようなもので、マイクロソフト（米）は10万人に16人、GE（米）は5人、IBM（米）にいたっては3人といったところだ。

まして欧米企業の場合、創業関係者や他社で実績を残した経営者クラスなどごく限られた人しか取締役になれない傾向が強い。取締役の大半は外部からの招へいか社外取締役。たとえば、マイクロソフトの場合、取締役10人中プロパーといえるのはビル・ゲイツ会長とスティーブ・バルマー最高経営責任者、ジョン・エイ・シャーレイ前社長の3人だけだ。ちなみに、欧米企業の日本人取締役としては、IBMの社外取締役を務める槙原稔三菱商事相談役が目立つ程度。

## 海外主要企業の取締役と業務執行役の員数

| 社　名 | 取締役員数 | 執行役員数 | 従業員数 |
|---|---|---|---|
| マイクロソフト(米) | 10人 | 18人 | 6万1000人 |
| デル(米) | 10人 | 16人 | 約5万5200人 |
| GE(米) | 16人 | 30人 | 30万7000人 |
| IBM(米) | 12人 | 20人 | 32万9001人 |
| HP(米) | 10人 | 15人 | 約15万1000人 |
| モトローラ(米) | 12人 | 11人 | 約6万7641人 |
| ウォルト・ディズニー(米) | 12人 | 15人 | 約12万9000人 |
| ファイザー(米) | 14人 | 8人 | 約11万5000人 |
| J&J(米) | 12人 | 11人 | 約10万9900人 |
| コカ・コーラ(米) | 29人(業務執行役員含む) | | 約5万人 |
| ペプシコ(米) | 12人 | 10人 | 約15万3000人 |
| マクドナルド(米) | 13人 | — | 約43万8000人 |
| シティグループ(米) | 18人 | 18人 | 約28万6000人 |
| ゴールドマン・サックス・グループ(米) | 11人 | 10人 | 2万0722人 |

(主に04年12月期のデータによるため、従業員数が他ページ表示と異なる場合がある)

## 海外主要企業の取締役と業務執行役の員数

| 社　　名 | 取締役員数 | 執行役員数 | 従業員数 |
|---|---|---|---|
| バンク・オブ・アメリカ(米) | 17人 | 8人 | 17万5742人 |
| AIG(米) | 16人 | 27人 | 9万2000人 |
| サノフィ・アベンティス(仏) | 17人 | 22人 | 9万6439人 |
| クレディ・スイス・グループ(スイス) | 12人 | 13人 | 6万0532人 |
| グラクソスミスクライン(英) | 11人 | 15人 | 9万9837人 |
| ダイムラークライスラー(独) | 11人 | 20人(監査役) | 38万4723人 |
| ドイツポスト(独) | 8人 | 23人 | 34万0667人 |
| ボーダフォン(英) | 15人(業務執行役員含む) | | 5万7378人 |
| ロイター(英) | 11人 | 8人(上級役員) | 1万4465人 |
| ポスコ(韓) | 6人(理事) | 9人(社外理事) | 2万7919人 |
| ロッテ・ショッピング(韓) | 8人 | —— | 1万5520人 |
| エア・チャイナ(中) | 10人 | 4人(監査役) | 2万9133人 |
| チャイナ・テレコム(中) | 17人(業務執行役員含む) | | 25万3050人 |

(主に04年12月期のデータによるため、従業員数が他ページ表示と異なる場合がある)

# PART 2

# 情報・通信・サービス関連

## 大再編で、塗り替えられた勢力図

## エンタテインメント・メディア

# GE、ディズニー、バイアコムなどが大手メディアを支配

## ——7兆円のうち1兆円を音楽と映画で稼ぎ出すソニー

プロ野球の読売巨人軍を傘下に収めているほか、日本テレビ放送網も事実上支配している読売新聞グループ本社をトヨタ自動車が買収したり、ニッポン放送を子会社にしたばかりのフジテレビジョンを中心とするフジサンケイグループを、松下電器産業が手中に収めたとしたらどうだろうか。証券取引法違反事件を起こしたライブドア、それに楽天によるラジオ・テレビ局の買収などより波紋が大きいはずである。

欧米ではすでにそんな事態が進展。メディアやエンタテインメント業界の大再編が繰り広げられている。たとえば、**NBC**、**ABC**、**CBS**、それに**FOX**を加えた米4大テレビネットワークだ。NBCは航空エンジンや医療関連、金融も手がける**GE**（米）の子会社であり、ABCは**ウォルト・ディズニー**（米）傘下である。CBSも買収を繰り返して成長してきた**バイアコム**（米）に飲み込まれ、FOXを率いるのはオーストラリアのメディア王、マードック氏だ。同氏は、果たせなかったがテレビ朝日の買収にも動いたことがある。米4大テレビネットワークはすべて大資本傘下に入

## エンタテインメント・メディア①

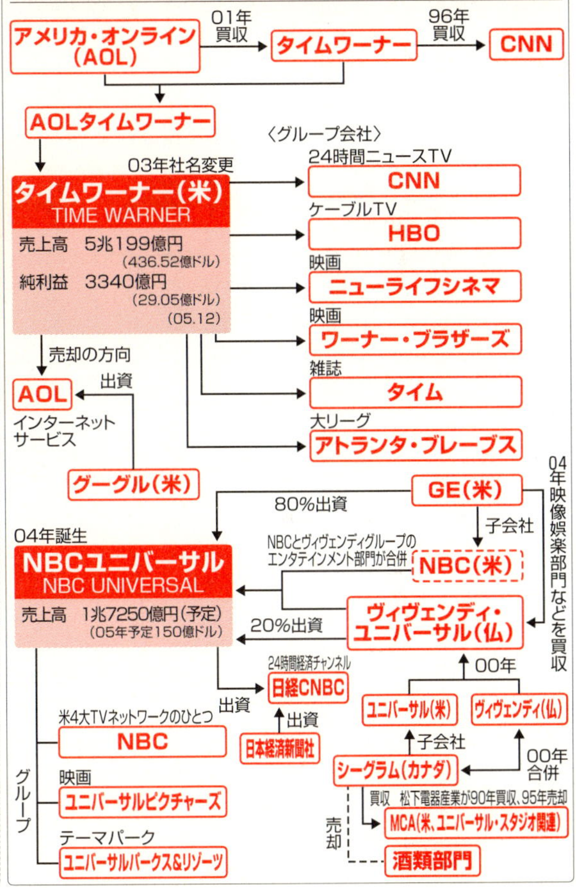
アメリカ・オンライン（AOL）
01年買収
タイムワーナー
96年買収
CNN
AOLタイムワーナー
03年社名変更
タイムワーナー（米）
TIME WARNER
売上高　5兆199億円（436.52億ドル）
純利益　3340億円（29.05億ドル）
（05.12）
〈グループ会社〉
24時間ニュースTV
CNN
ケーブルTV
HBO
映画
ニューライフシネマ
映画
ワーナー・ブラザーズ
雑誌
タイム
大リーグ
アトランタ・ブレーブス
売却の方向
AOL
インターネットサービス
出資
グーグル（米）
GE（米）
80%出資
子会社
04年映像娯楽部門などを買収
04年誕生
NBCユニバーサル
NBC UNIVERSAL
売上高　1兆7250億円（予定）（05年予定150億ドル）
NBCとヴィヴェンディグループのエンタテインメント部門が合併
NBC（米）
20%出資
ヴィヴェンディ・ユニバーサル（仏）
00年
24時間経済チャンネル
日経CNBC
出資
出資
日本経済新聞社
ユニバーサル（米）
ヴィヴェンディ（仏）
子会社
00年合併
シーグラム（カナダ）
買収　松下電器産業が90年買収、95年売却
MCA（米、ユニバーサル・スタジオ関連）
売却
酒類部門
米4大TVネットワークのひとつ
NBC
映画
ユニバーサルピクチャーズ
テーマパーク
ユニバーサルパークス&リゾーツ
グループ

った。

ただし、規模の拡大がすべて成功するわけではない。24時間ニューステレビのCNNを傘下に収めたタイムワーナーを手中にして、AOLタイムワーナーとしたのは**アメリカ・オンライン**（AOL）。だが、ネット企業AOLの思惑は大きく外れて、現在では、統合失敗の代表事例と指摘されるほどだ。結局、会社名もタイムワーナーに逆戻り。**タイムワーナー**はAOLを売却の方針といわれる。そのAOLは05年末、ネット検索の**グーグル**（米）と資本・業務提携している。

「はじめに」でも触れているが、松下電器産業からユニバーサル・スタジオ関連会社を買収したのはカナダのシーグラム。シーグラムはその後、洋酒部門を手放すが、そのシーグラムと合併に踏み切り欧米にまたがるエンタテインメント・メディア企業をめざしたのがヴィヴェンディ（仏）だ。だが、合併会社**ヴィヴェンディ・ユニバーサル**は経営危機に陥り、映像娯楽部門をGEに売却。現在、テレビのNBCや映画のユニバーサルピクチャーズ、テーマパークのユニバーサルパークス&リゾーツをグループに持つ**NBCユニバーサル**を事実上傘下に収めているのは、GEだ。

日本では東京ディズニーリゾートで知名度が高いが、ウォルト・ディズニーも総合

## エンタテインメント・メディア②

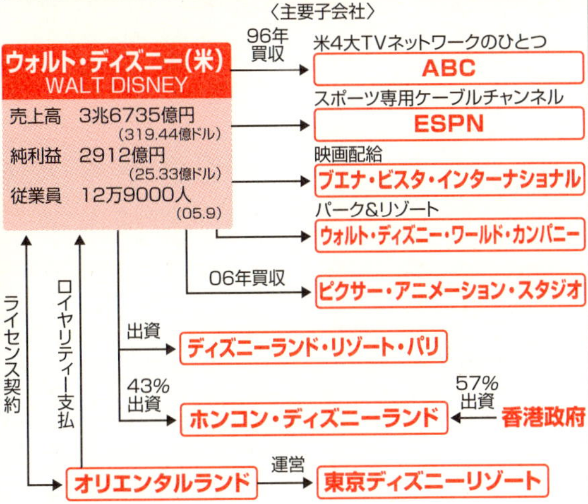


**●事業別売上高と営業利益**(04年9月期)

**メディア・ネットワーク部門**
売 117.78億ドル
営 21.69億ドル

VHFテレビ局:9局　UHFテレビ局:1局
AMラジオ局:51局　FMラジオ局:20局
ケーブルテレビ加入件数:11.45億件

**パーク&リゾート部門**
売 77.50億ドル
営 11.23億ドル

**スタジオ・エンタテインメント部門**
売 87.13億ドル
営 6.62億ドル

**コンシューマプロダクツ部門**
売 25.11億ドル
営 5.34億ドル

メディア・エンタテインメントグループ企業だ。多数のテレビ局や加入者総数が11億件を超すケーブルテレビを持ち、「メディア・ネットワーク部門」の方が「パーク&リゾート部門」の売上を上回っている。

成果をあげているとはいえないが、ディズニーはネット検索のインフォシーク（日本法人は楽天が買収）を買収しているほか、06年に入って、コンピュータグラフィックスアニメ映画のピクサー・アニメーション・スタジオ（米）を買収した。

父親から引き継いだ豪州の新聞社から出発し、大型のM&A（企業の合併・買収）を手がけてきたマードック氏だけに、ニューズコーポレーション（米）の傘下企業も多彩だ。テレビのFOXはもとより、映画の20世紀FOX、英国の高級紙ザ・タイムスなどがグループである。全世界で展開する新聞は170を超す。

米大手メディア・エンタテインメント企業は映画部門も必ず所有しているが、バイアコム（米）が所有しているのは映画大手のパラマウントピクチャーズ。そのパラマウントは映画監督スティーブン・スピルバーグ氏などが経営しているドリームワークスSKG（米）を買収。今後は、テレビのCBSは分離・独立させる方向で、映画やケーブルテレビに経営資源を集中するとしている。

## エンタテインメント・メディア③

オーストラリアのメディア王
マードック氏が率いる

**ニューズコーポレーション(米)**
NEWS CORPORATION

売上高　2兆7437億円
　　　　　(238.59億ドル)
純利益　2447億円
　　　　　(21.28億ドル)
　　　　　(05.6)

〈グループ〉
米4大TVネットワークのひとつ
→ **FOX**

映画配給会社
→ **20世紀FOX**

ケーブルTV
→ **ナショナルジオグラフィックチャンネル**

衛星TV
→ **ディレクTV**

〈グループ〉
- **BスカイB** 衛星TV
- **ザ・サン** 英タブロイド紙(英字新聞として発行部数トップ)
- **ザ・タイムス** 英高級紙
- **ニューヨークポスト** 米タブロイド紙
- **ハーパー・コリンズ** 出版

**バイアコム(米)**
VIACOM

売上高　2兆5904億円
　　　　　(225.26億ドル)
純利益　▲2兆81億円
　　　　　(▲174.62億ドル)
　　　　　(04.12)

05年分離を発表 →

〈グループ〉
米4大TVネットワークのひとつ
→ **CBS**

音楽専用チャンネル
→ **MTV**

音楽専用チャンネル
→ **VH1**

映画
→ **パラマウントピクチャーズ**

**ドリームワークスSKG(米)** ← 買収

〈通信社〉
| **AP(米)** | **UPI(米)** | **ロイター(英)** | **ブルームバーグ(米)** |

〈米新聞大手〉

| ガネット | ダウ・ジョーンズ | ニューヨーク・タイムズ | |
|---|---|---|---|
| **USAトゥデー** | **ウォールストリートジャーナル** | **ニューヨーク・タイムズ** | |
| ロサンゼルス・タイムス | ワシントンポスト | トリビューン | ナイト・リッダー |
| **ロサンゼルス・タイムス** | **ワシントンポスト** | **シカゴトリビューン** | **フィラデルフィア・インクワイアラー** |

ところで、日本でも「メディアとネットの融合」が叫ばれているが、米国の場合は、新聞を含めて大手メディア側からの攻勢が目立つ点が日本とは異なる。

**ワシントンポスト**（米）や**ニューヨーク・タイムズ**（米）といった新聞社がネット企業を買収。「USAトゥデー」を発行する**ガネット**（米）と**ナイト・リッダー**（米）、**トリビューン**（米）の3社も共同でネット企業に出資している。テレビのCBSやABC、24時間ニュースのCNNなどはすでに無料配信をしているほか、ウォルト・ディズニーは、06年に携帯電話事業に参入する。

海外勢に対抗できる国内勢といえば**ソニー**だ。ソニーは音楽の米CBSと1968年に合弁会社をスタート。その後、100％子会社化させるとともに、89年にはコロンビアピクチャーズ（米）を買収。現在は、ソニー・ミュージックエンタテインメント、ソニー・ピクチャーズエンタテインメントという音楽と映画の子会社を持ち、全売上高7兆円超のうち約1兆円を音楽と映画部門で稼ぎ出している。

ソニーはまた、04年には欧州複合メディア大手の**ベルテルスマン**（ドイツ）傘下のBMGと海外音楽事業で合弁を開始。05年には、米タイムワーナーとの争奪戦の末、「ロッキー」「007」シリーズなどの映画会社MGM（米）を買収している。

## エンタテインメント・メディア④

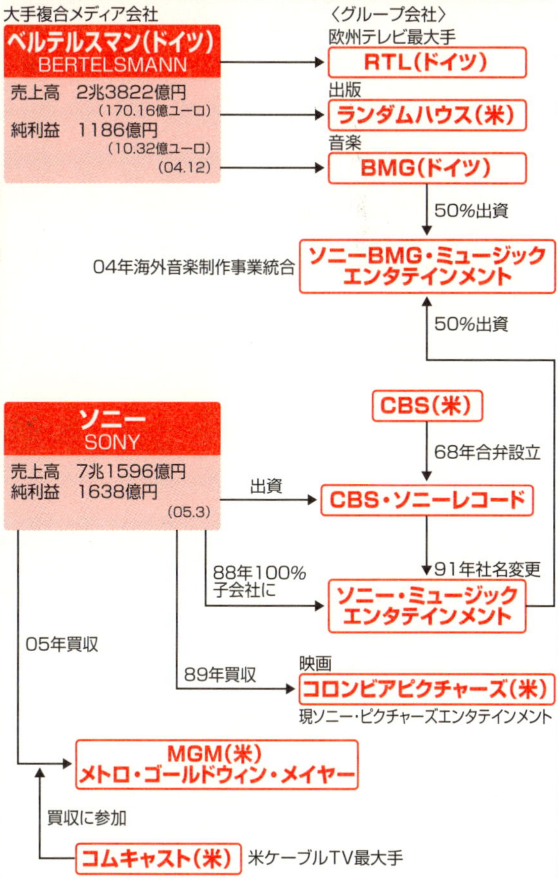
大手複合メディア会社
ベルテルスマン(ドイツ)
BERTELSMANN
売上高 2兆3822億円
(170.16億ユーロ)
純利益 1186億円
(10.32億ユーロ)
(04.12)
〈グループ会社〉
欧州テレビ最大手
RTL(ドイツ)
出版
ランダムハウス(米)
音楽
BMG(ドイツ)
50%出資
04年海外音楽制作事業統合
ソニーBMG・ミュージックエンタテインメント
50%出資
CBS(米)
68年合弁設立
ソニー
SONY
売上高 7兆1596億円
純利益 1638億円
(05.3)
出資
CBS・ソニーレコード
91年社名変更
88年100%子会社に
ソニー・ミュージックエンタテインメント
05年買収
89年買収
映画
コロンビアピクチャーズ(米)
現ソニー・ピクチャーズエンタテインメント
MGM(米)
メトロ・ゴールドウィン・メイヤー
買収に参加
コムキャスト(米)
米ケーブルTV最大手

**通信**

# 米AT&Tの解体に象徴される再編劇の激化！

## ——日本のNTTは、売上高世界一を維持できるか？

現在、売上高ベースで世界の通信業界トップに立つのは日本の**NTT**（日本電信電話）だ。以下、**ベライゾンコミュニケーションズ**（米）、**ドイツテレコム**（独）、**ボーダフォン**（英）、**フランステレコム**（仏）などと続く。

ドイツテレコムとフランステレコムはそれぞれ、ドイツとフランスを本拠地とする元国有の通信会社で、NTT同様に携帯電話会社もグループ化している。

ベライゾンは米地域通信大手で、これまた携帯会社をグループに有する。ボーダフォンは日本でも展開していることからよく知られる世界一の携帯電話会社で、加入者数は27か国で約1億6500万人を数える。これは出資企業の場合はその出資割合でカウントしている数で、すべてをトータルすれば4億5000万超になる。提携関係にとどまる海外を含めても加入が5000万件超のNTTドコモをはるかに凌駕する。ちなみにベライゾン傘下の携帯電話会社にはボーダフォンが資本参加しているという関係だ。

## 通信①

1985年設立

**NTT(日)**
NIPPON TELEGRAPH & TELEPHONE

売上高　10兆8058億円
純利益　7101億円
従業員　20万1486人
(05.3)

〈子会社〉
→ NTT東日本
→ NTT西日本
→ NTTコミュニケーションズ
→ NTTデータ
→ NTT都市開発
→ NTTドコモ

↕「iモード」サービスで提携

Eプルス(ドイツ)
ベース(ベルギー)
ウィンド(イタリア)
セルコム(イスラエル)
テルストラ(オーストラリア)
スターハブ(シンガポール)
O2(イギリス、アイルランド) ← 買収 ― テレフォニカ(スペイン)
KPNモバイル(オランダ)
ブイグテレコム(フランス)
コスモテ(ギリシャ)
MTS(ロシア)
FETテレコム(台湾)

1995年民営化　欧州最大の通信会社

**ドイツテレコム(独)**
DEUTSCHE TELECOM

売上高　8兆1032億円
(578.80億ユーロ)
純利益　6487億円
(46.34億ユーロ)
従業員　24万4645人
(04.12)

93年買収 → マタフ(ハンガリー)
00年買収 → スロバキアテレコム(スロバキア)
01年買収 → Tフルバツキテレコム(クロアチア)
子会社 → 携帯電話 Tモバイル (米、英、独、オランダ、チェコ、オーストリア、スロバキアなどで展開)
Tモバイル ↓ 05年1月　一部事業買収 → シンギュラー・ワイヤレス(米)
シンギュラー・ワイヤレス(米) ― 04年買収 → AT&Tワイヤレス(米)

↕ 一時期提携関係

2004年民営化

**フランステレコム(仏)**
FRANCE TELECOM

売上高　6兆6019億円
(471.57億ユーロ)
純利益　4142億円
(29.59億ユーロ)
従業員　20万6524人
(04.12)

2000年買収 → 携帯電話 オレンジ
2000～01年買収 → TPグループ(ポーランド)

ただし、M&A（企業の合併・買収）による再編が最も劇的な業界のひとつが通信業界。相変わらず大型のM&Aが続いているほか、ケーブルテレビなど異業種からの参入もあって、数年後には業界地図が一変していても不思議ではない。

通信業界の大再編は、日本とヨーロッパは民営化、米国の場合は独占の解体によってもたらされた。日本では1985年に民営化でNTTが誕生。以後、幾多の変遷を経てNTT、**KDDI**、**ソフトバンクグループ**、それに携帯のボーダフォン（日本法人をソフトバンクに売却の方向）といった現在の体制に移行してきた。

ドイツで、国営企業ブンデスポストによる独占だった郵便、電話および電信サービス事業の分割が進められたのは1989年。そのときに生まれたのが世界物流で大手になったドイツポスト（36ページ参照）やドイツテレコムの前身であり、ドイツテレコムは1995年に民営の株式会社に改組。フランスの電気通信省の一部を前身とするのがフランステレコムで、政府の株式保有割合が低下した2004年に民営化した。

ドイツテレコムとフランステレコムは、一時期提携関係にあったが、現在は解消。その代わり、携帯電話会社を傘下に収め、国境を越えたM&Aを展開している点では同じ動きをしているといっていいだろう。欧州では国境をまたいだM&Aが活発。ド

## 通信②

1982年創業

**ボーダフォン(英)**
VODAFONE

売上高　6兆8266億円
(341.33億ポンド)
純利益　▲1兆5080億円
(▲75.40億ポンド)
従業員　5万7378人
(05.3)

〈世界での展開〉加入者総数　1億6500万人(05.6)

英国　アイルランド　ドイツ
ハンガリー　オランダ　ベルギー
フランス　ポーランド　スイス
イタリア　ギリシャ　マルタ
ポルトガル　スペイン　アルバニア
ルーマニア　米国　日本
オーストラリア　ニュージーランド
フィジー　中国　エジプト
ケニヤ　南アフリカ

パートナーによる展開

オーストリア　バーレーン　クロアチア
フィンランド　キプロス　デンマーク
エストニア　アイスランド　クウェート
リトアニア　ルクセンブルク　シンガポール
スロベニア　香港

日本法人を買収の方向
ソフトバンク

05年新たに進出
→ チェコ
→ インド

**テレコムイタリア(伊)**
TELECOM ITALIA
売上高　4兆3731億円
(312.37億ユーロ)
(04.12)

**テレフォニカ(スペイン)**
TELEFONICA
売上高　4兆2449億円
(303.21億ユーロ)
(04.12)

05年買収
→ **O2(英)**
携帯電話

**BT(英)**
ブリティッシュ・テレコム
BRITISH TELECOM
売上高　3兆7246億円
(186.23億ポンド)
(05.3)

イッテレコムグループの携帯電話会社Tモバイルは、米携帯電話大手のシンギュラー・ワイヤレスから米カリフォルニアやネバダの一部事業を買収している。

米国の場合は独占の解体によって大再編が繰り広げられてきた。通信業界で長年リード役をはたしてきたのは、電話を発明したグラハム・ベルが設立した会社を前身とする**AT&T**（米）だ。だが、1984年に長距離通信部門だけをAT&Tに残し、地域通信は7社に分離。01年には携帯部門も分離している。そして05年、そのAT&Tはたもとを分かった地域通信会社の1社をルーツとする会社、**SBCコミュニケーションズ**に買収された。SBCは社名をAT&Tに改めたことでその名は残るものの、AT&Tの事実上の消滅が通信業界の再編劇の激しさを何よりも物語っている。

なお、他地域にも増して再編劇が激しい米国の通信会社をまとめれば、携帯は**ベライゾン・ワイヤレス**、**シンギュラー・ワイヤレス**、スプリントとネクステル・コミュニケーションズが合併して誕生した**スプリント・ネクステル**が3強を形成。地域通信会社はSBCコミュニケーションズ（新生AT&T）、ベライゾンコミュニケーションズが2強。新生AT&Tは**ベルサウス**を買収。経営破綻したワールドコムの再出発会社で長距離通信の**MCI**は、ベライゾンに買収されることになっている。

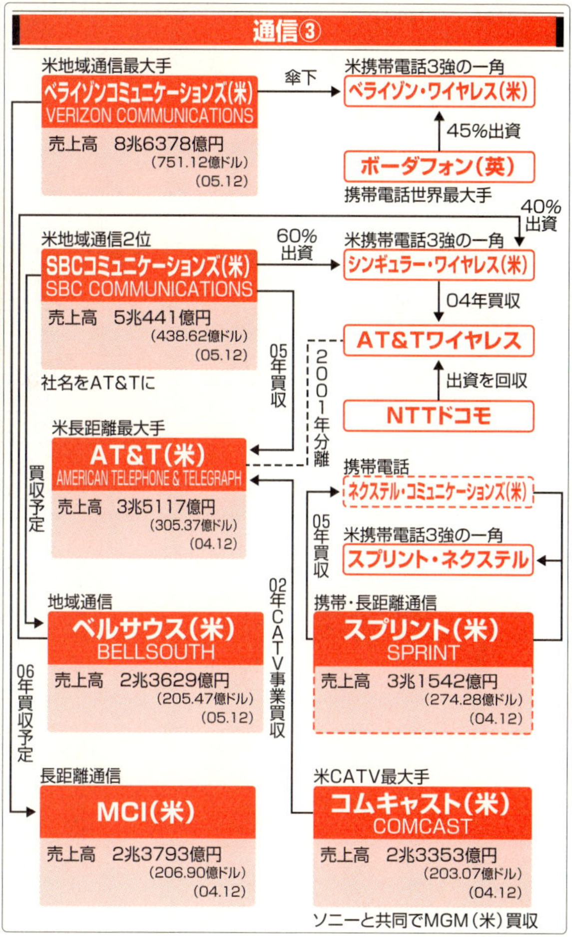
通信③
米地域通信最大手
ベライゾンコミュニケーションズ(米)
VERIZON COMMUNICATIONS
売上高 8兆6378億円
(751.12億ドル)
(05.12)
傘下
米携帯電話3強の一角
ベライゾン・ワイヤレス(米)
45%出資
ボーダフォン(英)
携帯電話世界最大手
40%出資
米地域通信2位
SBCコミュニケーションズ(米)
SBC COMMUNICATIONS
売上高 5兆441億円
(438.62億ドル)
(05.12)
60%出資
米携帯電話3強の一角
シンギュラー・ワイヤレス(米)
04年買収
AT&Tワイヤレス
出資を回収
NTTドコモ
2001年分離
05年買収
社名をAT&Tに
米長距離最大手
AT&T(米)
AMERICAN TELEPHONE & TELEGRAPH
売上高 3兆5117億円
(305.37億ドル)
(04.12)
買収予定
携帯電話
ネクステル・コミュニケーションズ(米)
05年買収
米携帯電話3強の一角
スプリント・ネクステル
02年CATV事業買収
地域通信
ベルサウス(米)
BELLSOUTH
売上高 2兆3629億円
(205.47億ドル)
(05.12)
携帯・長距離通信
スプリント(米)
SPRINT
売上高 3兆1542億円
(274.28億ドル)
(04.12)
06年買収予定
長距離通信
MCI(米)
売上高 2兆3793億円
(206.90億ドル)
(04.12)
米CATV最大手
コムキャスト(米)
COMCAST
売上高 2兆3353億円
(203.07億ドル)
(04.12)
ソニーと共同でMGM(米)買収

**ネット関連**

# 売上高も利益も急増のグーグル、独走！

## ——AOL、アマゾン、イーベイの企業規模は？

現在、インターネット関連で最も注目されているのが**グーグル**（米）だ。1998年誕生と歴史は浅いが、独自の検索技術で世界最大のインターネット検索会社に成長してきた。検索可能なウェブページは35か国語、80億以上。すでにマイクロソフトのオンラインサービス事業（MSN事業）を上回る売上規模になっている。05年の売上高は61・39億ドル。04年31・89億ドルのほぼ倍である（純利益は約3・6倍）。

日本ではグーグルより人気を集めているのが**ヤフー**（米）である。現在の出資比率は5％を切るが、日本のソフトバンクも当初は約37％出資して米ヤフーの設立にかかわった。もちろん、日本のヤフーも米ヤフーとソフトバンクが共同で設立した会社だ。

米大手メディアのタイムワーナーと合体し、AOLタイムワーナーとなった**アメリカ・オンライン**（AOL）は、タイムワーナーから離れる方向で、05年末には、グーグルと資本・業務提携している。**アマゾン・ドット・コム**（米）はネットショップ、**イーベイ**は、世界最大規模のネットオークションを運営。

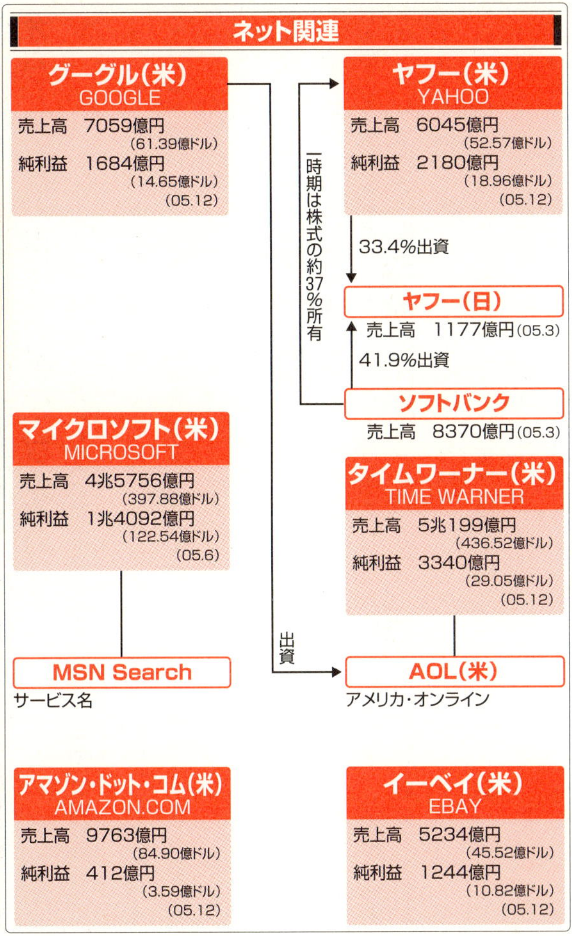
ネット関連
グーグル(米)
GOOGLE
売上高 7059億円
(61.39億ドル)
純利益 1684億円
(14.65億ドル)
(05.12)
ヤフー(米)
YAHOO
売上高 6045億円
(52.57億ドル)
純利益 2180億円
(18.96億ドル)
(05.12)
一時期は株式の約37%所有
33.4%出資
ヤフー(日)
売上高 1177億円(05.3)
41.9%出資
ソフトバンク
売上高 8370億円(05.3)
マイクロソフト(米)
MICROSOFT
売上高 4兆5756億円
(397.88億ドル)
純利益 1兆4092億円
(122.54億ドル)
(05.6)
タイムワーナー(米)
TIME WARNER
売上高 5兆199億円
(436.52億ドル)
純利益 3340億円
(29.05億ドル)
(05.12)
出資
MSN Search
サービス名
AOL(米)
アメリカ・オンライン
アマゾン・ドット・コム(米)
AMAZON.COM
売上高 9763億円
(84.90億ドル)
純利益 412億円
(3.59億ドル)
(05.12)
イーベイ(米)
EBAY
売上高 5234億円
(45.52億ドル)
純利益 1244億円
(10.82億ドル)
(05.12)

広告

## オムニコムなど欧米4大グループの実力は?
### ――4強の一角パブリシスに資本参加する電通が事実上の世界一?

ヨーロッパ勢の**WPPグループ**(英)と**パブリシス・グループ**(仏)、米国勢の**オムニコム・グループ**と**インターパブリック・グループ**が、世界の広告大手4グループだ。

主に手数料ビジネスの場合、日本と欧米では売上高の計上が異なる場合がある。総合商社の三菱商事は日本の会計基準では05年3月期、約17兆円の売上高だが、米国基準では4兆円になる。同じように、図表にある世界の広告大手4グループの売上高は日本でいう売上総利益(売上高から売上原価を引いたもの)に相当するため低い印象を持つ。ちなみに、**電通**の売上総利益は3179億円、**博報堂DYホールディングス**は1518億円である(いずれも05年3月期)。

いずれにしても、世界の広告4大グループは日本勢とそれぞれに手を組んでいる。パブリシス・グループは、電通の関連会社。そのため、電通が事実上は世界一の広告会社であるという見方も成り立つ。オムニコム・グループのBBDOが出資、合弁企

## 広告①

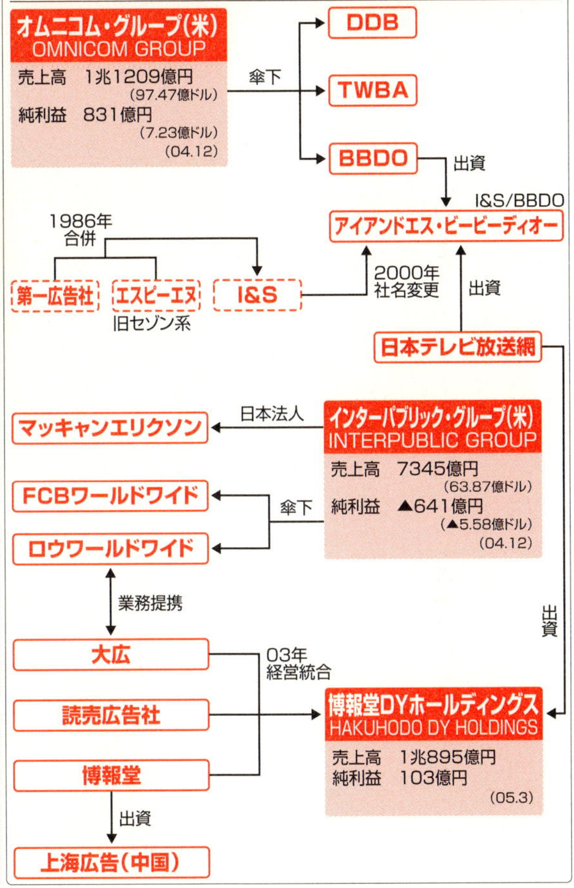
オムニコム・グループ(米)
OMNICOM GROUP
売上高 1兆1209億円
(97.47億ドル)
純利益 831億円
(7.23億ドル)
(04.12)
傘下
DDB
TWBA
BBDO
出資
I&S/BBDO
アイアンドエス・ビービーディオー
1986年
合併
第一広告社
エスピーエヌ
旧セゾン系
I&S
2000年
社名変更
出資
日本テレビ放送網
日本法人
マッキャンエリクソン
インターパブリック・グループ(米)
INTERPUBLIC GROUP
売上高 7345億円
(63.87億ドル)
純利益 ▲641億円
(▲5.58億ドル)
(04.12)
傘下
FCBワールドワイド
ロウワールドワイド
業務提携
出資
大広
03年
経営統合
読売広告社
博報堂
博報堂DYホールディングス
HAKUHODO DY HOLDINGS
売上高 1兆895億円
純利益 103億円
(05.3)
出資
上海広告(中国)

業として展開しているのが日本の**アイアンドエス・ビービーディオー**（I&S／BBDO）だ。インターパブリック・グループ会社は、博報堂や**読売広告社**とグループを組む大広と業務提携。グループに出版社の日本文芸社などを擁する**アサツーディ・ケイ**と資本・業務提携関係にあるのがWPPグループだ。また、WPPグループは、傘下のヤング・アンド・ルビカムが電通と合弁会社を展開している。

ただし、インターネット広告の急成長など、広告業界は大きな転換期を迎えているといってよい。ネット検索の世界最大手であるグーグル（米）の05年12月期の売上高約7000億円の8割以上は広告関連収入による。本体で広告を展開するグーグルとは異なり子会社のオーバーチュアで展開するヤフー（米）も同じような収入構造。グーグルやヤフーなどのネット広告が新しい需要を開拓しているのか、既存の広告主がネット広告にシフトしているとすれば大手広告グループにも影響が及ぶのは必至。

ちなみに、電通はソフトバンクグループと組んで**サイバー・コミュニケーションズ**を、博報堂DYホールディングスとアサツーディ・ケイ連合は**デジタル・アドバタイジング・コンソーシアム**と、それぞれにネット広告関係の会社を立ち上げている。楽天は米ネット広告大手のリンクシェアを買収している。

## 広告②

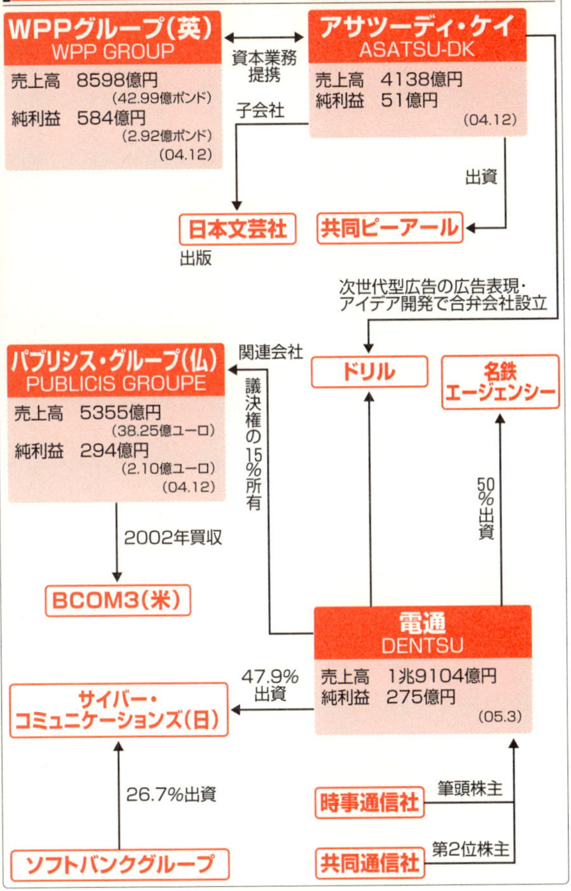
WPPグループ(英)
WPP GROUP
売上高 8598億円
(42.99億ポンド)
純利益 584億円
(2.92億ポンド)
(04.12)
資本業務提携
子会社
アサツーディ・ケイ
ASATSU-DK
売上高 4138億円
純利益 51億円
(04.12)
出資
日本文芸社
出版
共同ピーアール
次世代型広告の広告表現・アイデア開発で合弁会社設立
関連会社
パブリシス・グループ(仏)
PUBLICIS GROUPE
売上高 5355億円
(38.25億ユーロ)
純利益 294億円
(2.10億ユーロ)
(04.12)
議決権の15%所有
ドリル
名鉄エージェンシー
50%出資
2002年買収
BCOM3(米)
電通
DENTSU
売上高 1兆9104億円
純利益 275億円
(05.3)
47.9%出資
サイバー・コミュニケーションズ(日)
26.7%出資
ソフトバンクグループ
時事通信社
筆頭株主
共同通信社
第2位株主

# 40年ぶりの再統合で、世界最大のホテルチェーン「ヒルトン」誕生

## ——ゴールドマンなど金融グループも日本ホテル市場に参戦！

外資系の日本進出ラッシュが依然として続いている。05年7月には「コンラッド東京」が、同年12月には香港系の「マンダリンオリエンタルホテル東京」がオープン。07年には「ザ・リッツ・カールトン東京」と「ザ・ペニンシュラ」が開業予定で、香港系の「シャングリ・ラ　ホテルズ&リゾーツ」の進出も噂にのぼっている。普通でも4万円から5万円、特別ルームともなれば20、30万円の料金もザラという高級ホテルへの需要がまだ日本、とくに東京など大都市にはあると見込んでいるのだろう。

これまではホテルの土地や建物の所有・経営は日本企業で、外資系ホテルチェーンは管理・運営を担うというパターンが多かったが、直接進出してくる例も見受けられるようになるなど、日本の高級ホテル事情はまったく様変わり。世界の大手ホテルチェーンを中心にその勢力図を見ていこう。

東京・汐留地区の「コンラッド東京」。不動産の森トラストが開発したオフィスビルの高層階に入居している高級ホテルで、運営はヒルトングループだ。ヒルトングル

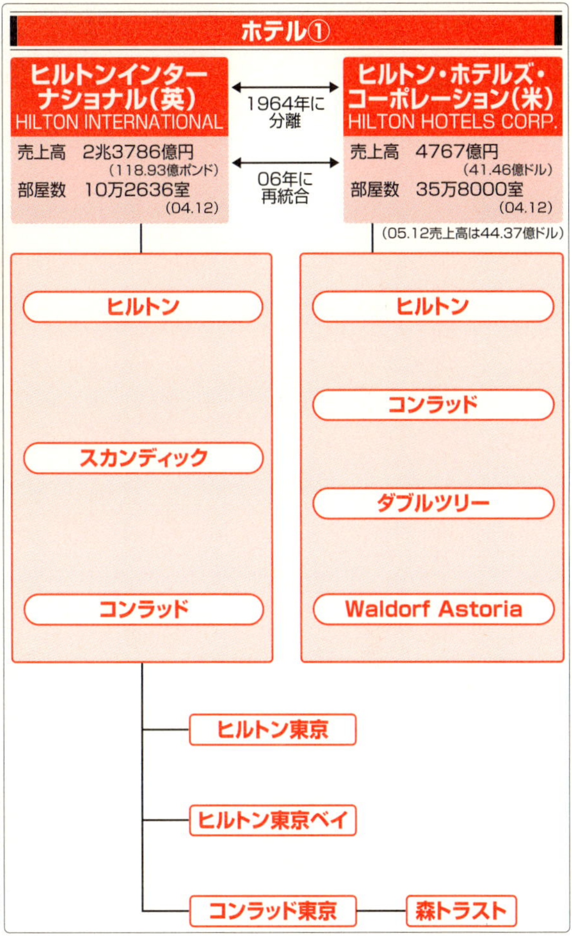
ホテル①
ヒルトンインターナショナル(英)
HILTON INTERNATIONAL
売上高 2兆3786億円
(118.93億ポンド)
部屋数 10万2636室
(04.12)
1964年に分離
06年に再統合
ヒルトン・ホテルズ・コーポレーション(米)
HILTON HOTELS CORP.
売上高 4767億円
(41.46億ドル)
部屋数 35万8000室
(04.12)
(05.12売上高は44.37億ドル)
ヒルトン
スカンディック
コンラッド
ヒルトン
コンラッド
ダブルツリー
Waldorf Astoria
ヒルトン東京
ヒルトン東京ベイ
コンラッド東京
森トラスト

ープはそのほかに「ヒルトン東京ベイ」なども運営。赤字を垂れ流していたことで批判を浴びた旧雇用促進事業団の保養施設のひとつ「スパウザ小田原」を買い取ったのは小田原市。同市はその運営をヒルトンに委託した。

ところで、ヒルトングループは英国系の**ヒルトンインターナショナル**と米**ヒルトン・ホテルズ・コーポレーション**の2つが存在する。そもそもは米国発祥のホテルチェーンだが、財政難から米ヒルトンが1964年に米国以外の事業を分離、その後、売却したという経緯による。

それが06年、なんと40余年ぶりに再統合されることになった（英ヒルトンで売上高が多いギャンブル部門は分離）。これまでも何回か統合話はあったが、米ヒルトン側が7000億円弱で買収することで落着。約46万室を抱え世界最大級のホテルチェーンの誕生である。日本を代表する〝旧御三家〟の**ニューオータニ**の売上高は733億円、**帝国ホテル**532億円、**ホテルオークラ**503億円（いずれも04年度）。親会社の不祥事などで経営再建中のプリンスホテルにしても1000億円程度だった。ヒルトンの統合に要した金額がいかに大きいかがわかるだろう。

**センダント**（米）は日本では知名度は低いが、不動産やレンタカー、金融なども手

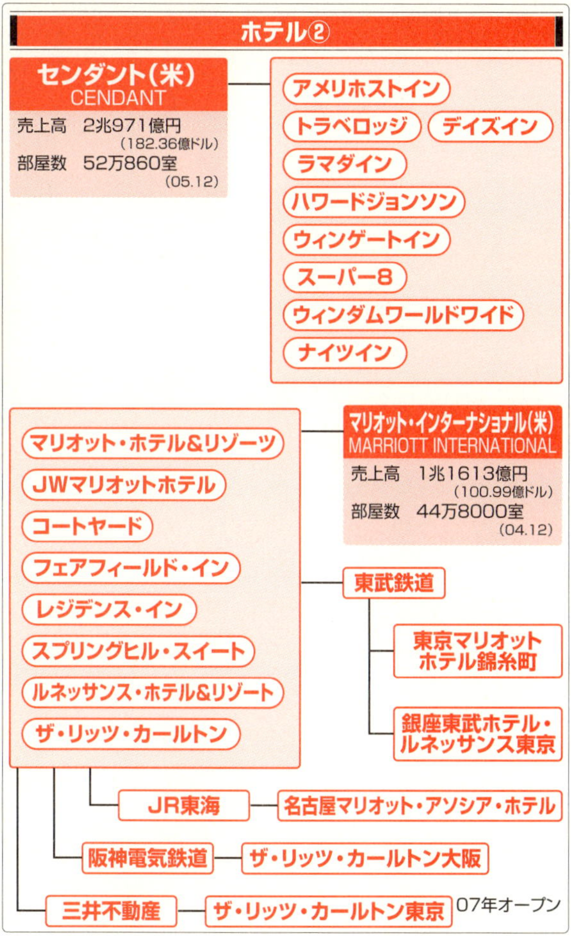
ホテル②
センダント(米)
CENDANT
売上高 2兆971億円
(182.36億ドル)
部屋数 52万860室
(05.12)
アメリホストイン
トラベロッジ
デイズイン
ラマダイン
ハワードジョンソン
ウィンゲートイン
スーパー8
ウィンダムワールドワイド
ナイツイン
マリオット・インターナショナル(米)
MARRIOTT INTERNATIONAL
売上高 1兆1613億円
(100.99億ドル)
部屋数 44万8000室
(04.12)
マリオット・ホテル&リゾーツ
JWマリオットホテル
コートヤード
フェアフィールド・イン
レジデンス・イン
スプリングヒル・スイート
ルネッサンス・ホテル&リゾート
ザ・リッツ・カールトン
東武鉄道
東京マリオットホテル錦糸町
銀座東武ホテル・ルネッサンス東京
JR東海
名古屋マリオット・アソシア・ホテル
阪神電気鉄道
ザ・リッツ・カールトン大阪
三井不動産
ザ・リッツ・カールトン東京
07年オープン

がける企業グループ。伊藤忠商事のグループ会社であるセンチュリー21・ジャパンは、不動産仲介業のフランチャイズシステムを展開しているが、センダント子会社との提携によるものだ。

「マリオット・ホテル&リゾーツ」などのブランドで知られる**マリオット・インターナショナル**（米）。日本では東武鉄道やJR東海と組んでいる。外資系ホテルのなかでもとくに人気が高いザ・リッツ・カールトンもマリオットグループ。マリオットは1995年にザ・リッツ・カールトンの株式を49%取得。現在は99%保有している。ザ・リッツ・カールトンと組む日本側企業は阪神電気鉄道が大阪。東京は三井不動産が中心になって開発を進めている六本木防衛庁跡地の再開発、東京ミッドタウンに07年開業する。

「シェラトン」や「ウェスティン」で知られるのが、**スターウッド・ホテルズ&リゾーツ・ワールドワイド**（米）である。

英国を拠点とする**メリディアン・ホテルズ&リゾーツ**。現在はオランダのKLMと経営統合したエールフランス航空が最初に手がけたホテルチェーンだ。京浜急行電鉄と提携しているほか、野村証券グループが一時所有していたように、日本との関係は

## ホテル③

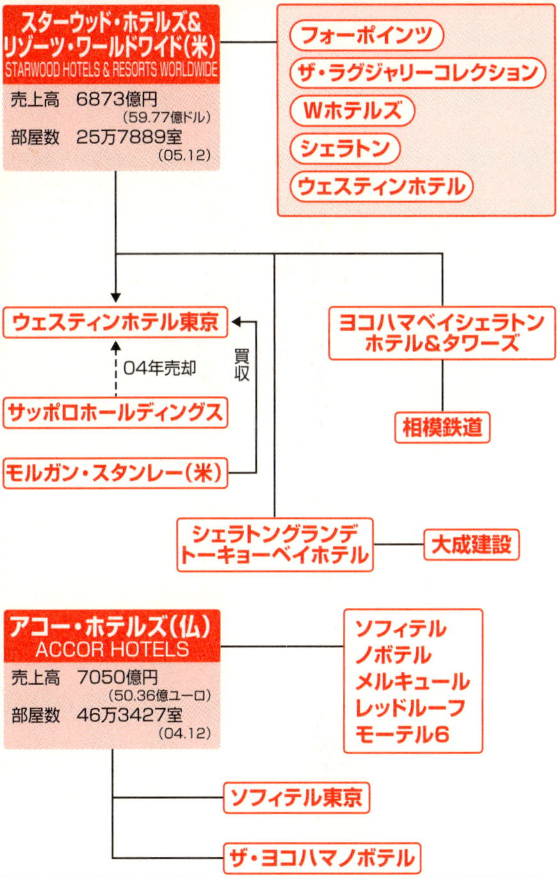
スターウッド・ホテルズ&リゾーツ・ワールドワイド(米)
STARWOOD HOTELS & RESORTS WORLDWIDE
売上高 6873億円
(59.77億ドル)
部屋数 25万7889室
(05.12)
フォーポインツ
ザ・ラグジャリーコレクション
Wホテルズ
シェラトン
ウェスティンホテル
ウェスティンホテル東京
04年売却
買収
サッポロホールディングス
モルガン・スタンレー(米)
ヨコハマベイシェラトンホテル&タワーズ
相模鉄道
シェラトングランデトーキョーベイホテル
大成建設
アコー・ホテルズ(仏)
ACCOR HOTELS
売上高 7050億円
(50.36億ユーロ)
部屋数 46万3427室
(04.12)
ソフィテル
ノボテル
メルキュール
レッドルーフ
モーテル6
ソフィテル東京
ザ・ヨコハマノボテル

浅からぬものがあるが、メリディアンも米スターウッドの一員である。
〝高級〟というコンセプトであるが、他の外資系とは異なり日本ではビジネスホテルを展開の**アコー・ホテルズ**（仏）も、「ソフィテル」「ノボテル」ブランドなど、全世界で46万超の運営部屋数を誇る大手チェーン。
部屋数で世界トップなのが**インターコンチネンタル・ホテルズ・グループ**（英）。日本では西友グループや森トラストと組んでいる。
**ハイアットホテルズ&リゾーツ**（米）は「グランドハイアット」「パークハイアット」「ハイアットリージェンシー」ブランドで、世界43か国、9万部屋を運営。日本には早くから進出していて、小田急電鉄と組んでの「センチュリーハイアット東京」の開業は1980年。03年には、森ビルの本拠地である六本木ヒルズに「グランドハイアット東京」を開業した。
「ワシントンホテル」や「箱根小涌園」などを経営している藤田観光が手を組んでいるのが**フォーシーズンズホテルズ&リゾーツ**（カナダ）である。
ところで、日本でホテルを手がけるのは、外資系の世界大手ホテルチェーンだけではない。最近は海外金融・投資グループも参入している。

## ホテル④

### インターコンチネンタル・ホテルズ・グループ(英)
INTERCONTINENTAL HOTELS GROUP

売上高　4408億円
(22.04億ポンド)
部屋数　53万4202室
(04.12)

- インターコンチネンタルホテルズ&リゾーツ
- クラウンプラザホテル&リゾーツ
- ホテルインディゴ
- ステイブリッジスイーツ
- キャンドルウッドスイーツ
- ホリデイ・インホテルズ&リゾーツ
- ホリデイ・インエクスプレス

西友グループ
ホスピタリティ・ネットワーク ― ホテルインターコンチネンタル東京ベイ

森トラスト ― ヨコハマグランドインターコンチネンタルホテル

### ハイアットホテルズ&リゾーツ(米)
HYATT HOTELS & RESORTS

売上高　――――
部屋数　9万室
(04.12)

- パークハイアット東京 ― 東京ガス
- センチュリーハイアット東京 ― 小田急電鉄
- グランドハイアット東京 ― 森ビル

### フォーシーズンズホテルズ&リゾーツ(カナダ)
FOUR SEASONS HOTELS & RESORTS

売上高　2941億円
(29.12億カナダドル)
部屋数　2万9937室
(04.12)

フォーシーズンズホテル椿山荘東京 ― 藤田観光

ビールのサッポロホールディングスは、「ウェスティンホテル東京」を約501億円で譲渡したが、相手は米金融グループのモルガン・スタンレー。同グループはダイエー系の「新神戸オリエンタルホテル」も買収したほか、06年には「ハイアット・リージェンシー京都（旧京都パークホテル）」もオープン。そのためホテルのマネジメント会社を設立しているほどだ。

ゴールドマン・サックス・グループ（米）やローンスター（米）、それに投資家ジョージ・ソロス氏も絡む米系イシン・ホテルズ・グループの動きも目立つ。

こうした海外勢の動きに対して、迎え撃つ日本勢は旧御三家を中心に増改築など投資を進めているほか、海外勢が得意としている運営受託事業に積極的に取り組むところもでてきた。ダイエーの拠点だった福岡のホークスタウンにあるシーホークホテル&リゾートの運営を受託したのは日本航空系のＪＡＬホテルズ。「ＪＡＬリゾートシーホークホテル福岡」として開業している。

なお、東京・台場にある「ホテルグランパシフィックメリディアン」の底地所有者は東京都。そこに日本生命が建物を建て、それを京浜急行電鉄が賃借して経営していたが、京浜急行は日本生命から330億円で買収している。

## ホテル⑤

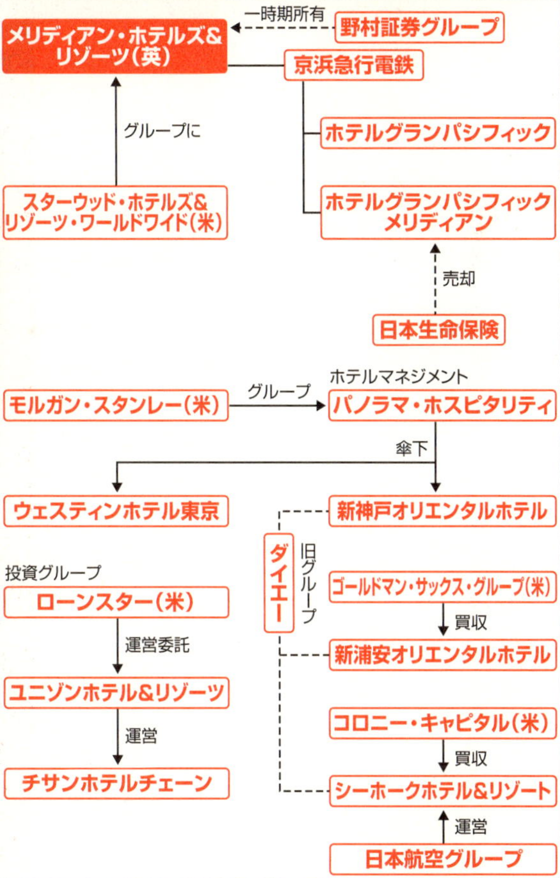
メリディアン・ホテルズ&リゾーツ(英)
一時期所有
野村証券グループ
京浜急行電鉄
ホテルグランパシフィック
ホテルグランパシフィックメリディアン
売却
日本生命保険
グループに
スターウッド・ホテルズ&リゾーツ・ワールドワイド(米)
モルガン・スタンレー(米)
グループ
ホテルマネジメント
パノラマ・ホスピタリティ
傘下
ウェスティンホテル東京
新神戸オリエンタルホテル
ダイエー
旧グループ
ゴールドマン・サックス・グループ(米)
買収
新浦安オリエンタルホテル
投資グループ
ローンスター(米)
運営委託
ユニゾンホテル&リゾーツ
運営
チサンホテルチェーン
コロニー・キャピタル(米)
買収
シーホークホテル&リゾート
運営
日本航空グループ

## 海外企業の経営トップの報酬はどれくらい？

いまや世界トップの自動車メーカーになろうとしているトヨタ自動車の奥田碩会長の推定年収は1億3000万円、張富士夫副会長は1億2000万円弱だ。さすがに楽天の三木谷浩史会長兼社長のように創業者ともなれば推定年収が8億5200万円と高額になるが、一般的に日本企業の経営トップの年収は低いというのが定説。資本金10億円以上の大企業にしても従業員平均年収と取締役のそれとでは2・25倍の格差しかないというデータもある。

一方、主要な海外企業の経営トップともなればさすがに高額。10億円程度も例外ではない。

欧米企業の場合、取締役など経営層の年収は「給与・賞与」をベースに、ストックオプションが付与されるのが一般的。表は給与と賞与など基本ベースの年収を示したものだが、たとえば基本的収入約18億円のゴールドマン・サックス・グループ（米）のロイド・ブランクファイン社長は、1388万ドル相当分の株式報酬が付与されている。それを含めればなんと33億9500万円である。

## 主要海外企業の経営トップの報酬

（基本的にストックオプションを除いた役員報酬、ボーナス、その他報酬の合計）

## 主要海外企業の経営トップの報酬

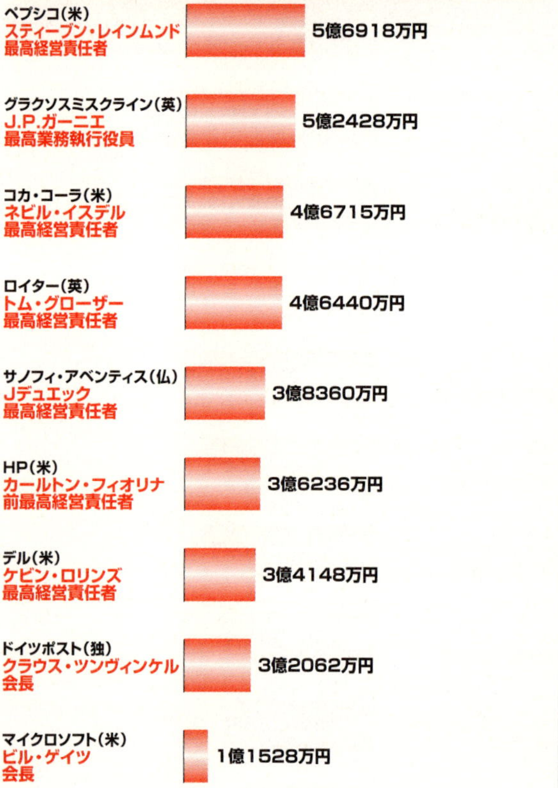


(基本的にストックオプションを除いた役員報酬、ボーナス、その他報酬の合計)

# PART 3

# 金融関連

## 世界のお金を支配する金融機関

## 総資産世界一は、三菱UFJフィナンシャル・グループ
### ――世界で利益を出す海外勢に対し、海外展開が遅れる日本の大銀行は？

会社の〝大きさ〟を示す指標のひとつが「総資産」。会社が有する総資産の大きさで各社をランクづけすることもできる。その総資産規模で世界の銀行トップは、**三菱UFJフィナンシャル・グループ**（MUFG）である。

関西を中心拠点とする旧三和銀行と中京地区が中心だった旧東海銀行が共同で設立したのがUFJホールディングス。旧三菱銀行と旧東京銀行の合併によって設立されていたのが三菱東京フィナンシャル・グループ。その両グループが05年10月に統合したことで誕生したのがMUFGである。グループの中核企業である東京三菱銀行とUFJ銀行の統合は、06年1月1日だった。

統合前の05年3月期の数字では、両グループの単純合算資産は192兆円。それが05年9月期には193兆円と微増。純利益もUFJホールディングスが大幅赤字だったことから05年3月期に合算では2161億円の赤字だったが、06年3月期には1兆円超の黒字に転じるなど（見込み）、「資産世界一」の銀行として、まずは順調なスタ

## 世界のメガバンク①

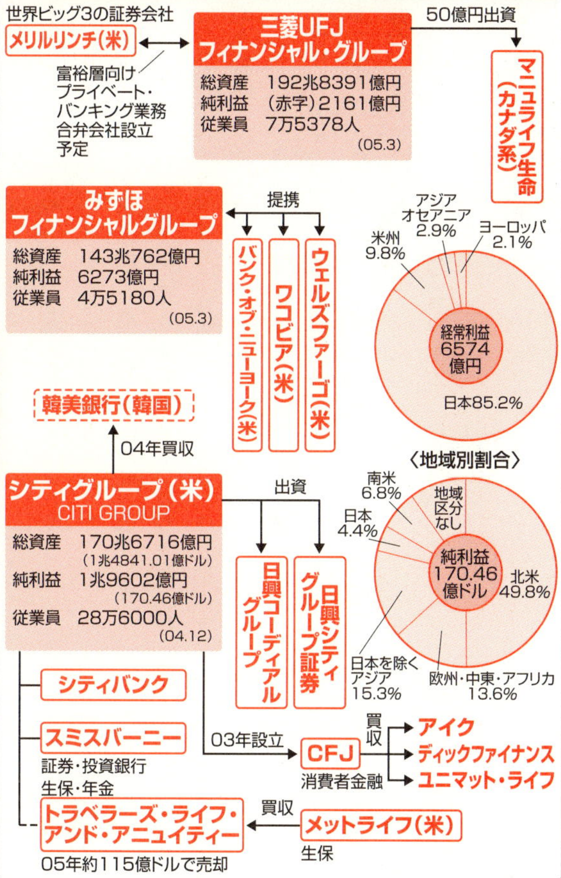
世界ビッグ3の証券会社
メリルリンチ(米)
富裕層向け
プライベート・
バンキング業務
合弁会社設立
予定
三菱UFJ
フィナンシャル・グループ
総資産　192兆8391億円
純利益　(赤字)2161億円
従業員　7万5378人
(05.3)
50億円出資
マニュライフ生命(カナダ系)
みずほ
フィナンシャルグループ
総資産　143兆762億円
純利益　6273億円
従業員　4万5180人
(05.3)
提携
バンク・オブ・ニューヨーク(米)
ワコビア(米)
ウェルズファーゴ(米)
アジア
オセアニア
2.9%
ヨーロッパ
2.1%
米州
9.8%
経常利益
6574
億円
日本85.2%
韓美銀行(韓国)
04年買収
〈地域別割合〉
シティグループ(米)
CITI GROUP
総資産　170兆6716億円
(1兆4841.01億ドル)
純利益　1兆9602億円
(170.46億ドル)
従業員　28万6000人
(04.12)
出資
日興コーディアルグループ
日興シティグループ証券
南米
6.8%
地域
区分
なし
日本
4.4%
純利益
170.46
億ドル
北米
49.8%
日本を除く
アジア
15.3%
欧州・中東・アフリカ
13.6%
シティバンク
スミスバーニー
証券・投資銀行
生保・年金
トラベラーズ・ライフ・
アンド・アニュイティー
05年約115億ドルで売却
03年設立
CFJ
消費者金融
買収
アイク
ディックファイナンス
ユニマット・ライフ
買収
メットライフ(米)
生保

ートを切った。

そのMUFGは、世界有数の証券会社であるメリルリンチ（米）とプライベートバンキングサービス業務で06年の上期にも合弁会社を設立するほか、カナダ系のマニュライフ生命と資本・業務提携をして各種保険商品の販売も手がけている。

MUFGに続くのが、日本勢では、**みずほフィナンシャルグループ**。米国の〝3強〟である**シティグループ**、**JPモルガン・チェース**、それに**バンク・オブ・アメリカ**も積極的な買収で規模の拡大を図っている。

ヨーロッパ勢では、**UBS**（スイス）、**HSBCホールディングス**（英）、**クレディ・アグリコール**（仏）、**ドイツ銀行**などが世界大手である。

世界2位クラスのみずほフィナンシャルグループは、2000年に第一勧業銀行と富士銀行、それに日本興業銀行の3行が経営統合して誕生したグループ。米国で4位規模の**ワコビア**、5位**ウェルズファーゴ**、それに**バンク・オブ・ニューヨーク**の3行と提携し、主に富裕層を対象にした商品の開発・提供に取り組みはじめた。

海外勢の代表であるシティグループは、1998年にシティコープとトラベラーズ・グループが合併してできた金融グループ。銀行のシティバンク、証券のスミスバ

## 世界のメガバンク②

### UBS(スイス)

総資産 156兆1305億円
(1兆7347.84億スイスフラン)
純利益 7280億円
(80.89億スイスフラン)
従業員 6万7424人
(04.12)

### クレディ・アグリコール(仏) CREDIT AGRICOLE

総資産 127兆7703億円
(9126.45億ユーロ)
純利益 5556億円
(39.69億ユーロ)
従業員 13万5502人
(04.12)

03年 子会社化 → クレディ・リヨネ(仏)

### HSBC ホールディングス(英)

総資産 147兆1974億円
(1兆2799.78億ドル)
純利益 1兆4855億円
(129.18億ドル)
従業員 25万3000人
(04.12)

### ドイツ銀行(独) DEUTSCHE BANK

総資産 117兆6095億円
(8400.68億ユーロ)
純利益 3460億円
(24.72億ユーロ)
従業員 6万5417人
(04.12)

日本生命保険 ↔ 資産管理で提携
グループ → ドイツ証券

### BNPパリバ(仏) BNP PARIBAS

総資産 126兆8313億円
(9059.38億ユーロ)
純利益 6535億円
(46.68億ユーロ)
従業員 9万4900人
(04.12)

### JPモルガン・チェース(米) JP MORGAN CHASE

総資産 133兆835億円
(1兆1572.48億ドル)
純利益 5135億円
(44.66億ドル)
従業員 16万968人
(04.12)

04年 買収 → バンク・ワン(米)

### 三井住友フィナンシャルグループ

総資産 99兆7318億円
純利益 (赤字)2342億円
従業員 4万683人
(05.3)

ゴールドマン・サックス・グループ(米) → 出資 → 三井住友フィナンシャルグループ

### ロイヤル・バンク・オブ・スコットランド(英) THE ROYAL BANK OF SCOTLAND

総資産 116兆6934億円
(5834.67億ポンド)
純利益 8512億円
(42.56億ポンド)
従業員 13万6600人
(04.12)

ーニーなどグループ会社を抱える。
シティグループの日本での事業展開は、05年12月に出資比率を下げたとはいえ、証券の日興コーディアルグループと関係が深い。「アイク」や「ディックファイナンス」などのブランドで展開する消費者金融のＣＦＪも手がける。

さて、日本の大手銀行グループは、資産規模は大きいが収益力が弱いというのが定説。その要因のひとつが海外展開だ。91ページの円グラフでもわかるように、みずほフィナンシャルグループの経常利益の８割以上は国内。これはみずほに限ったことではないが、〝内弁慶〟が日本の大銀行グループの弱点である。

対照的に、シティグループは世界で満遍なく利益を確保。伝統的に富裕層顧客の資産運用などプライベートバンク業務に長け、高い収益力を誇るヨーロッパ勢も、国境を越えた再編で米国勢に対抗しようとしており、日本の大銀行グループにとっては、海外展開がポイントになる。

なお、世界の大金融グループはこれまで、銀行や保険会社、証券会社などで構成する複合企業体、いわゆる〝金融コングロマリット〟化を進めてきたが、シティグループが国際保険、資産運用部門を売却するなど新しい動きも出ている。

## 世界のメガバンク③

### バークレイズ（英） BARCLAYS

| | |
|---|---|
| 総資産 | 104兆4178億円（5220.89億ポンド） |
| 純利益 | 6536億円（32.68億ポンド） |
| 従業員 | 7万8400人（04.12） |

### クレディ・スイス・グループ（スイス） CREDIT SUISSE GROUP

| | |
|---|---|
| 総資産 | 98兆536億円（1兆894.85億スイスフラン） |
| 純利益 | 5065億円（56.28億スイスフラン） |
| 従業員 | 6万532人（04.12） |

子会社：クレディ・スイス・ファースト・ボストン、クレディ・スイス
2000年買収：ニコス生命（現クレディ・スイス生命）

### HBOS（英）

| | |
|---|---|
| 総資産 | 88兆5762億円（4428.81億ポンド） |
| 純利益 | 6114億円（30.57億ポンド） |
| 従業員 | 5万2939人（04.12） |

### バンク・オブ・アメリカ（米） BANK OF AMERICA

| | |
|---|---|
| 総資産 | 131兆7372億円（1兆1455.41億ドル） |
| 純利益 | 1兆9418億円（168.86億ドル） |
| 従業員 | 17万5742人（05.12） |

05年買収：MBNA（クレジットカード）
05年6月統合：フリート・ナショナル・バンク（米）

### ABNアムロ・ホールディングス（オランダ） ABN AMRO HOLDINGS

| | |
|---|---|
| 総資産 | 85兆2072億円（6086.23億ユーロ） |
| 純利益 | 5752億円（41.09億ユーロ） |
| 従業員 | 9万7000人（04.12） |

### ウェルズファーゴ（米） WELLS FARGO

| | |
|---|---|
| 総資産 | 55兆4002億円（4817.41億ドル） |
| 純利益 | 8821億円（76.71億ドル） |
| 従業員 | 15万3000人（05.12） |

### ワコビア（米） WACHOVIA

| | |
|---|---|
| 総資産 | 59兆8868億円（5207.55億ドル） |
| 純利益 | 7639億円（66.43億ドル） |
| 従業員 | 9万3980人（05.12） |

### ソシエテジェネラル（仏） SOCIETE GENERALE

| | |
|---|---|
| 総資産 | 84兆1524億円（6010.89億ユーロ） |
| 純利益 | 4375億円（31.25億ユーロ） |
| 従業員 | 9万2000人（04.12） |

### フォーティス（ベルギー／オランダ） FORTIS

| | |
|---|---|
| 総資産 | 85兆9846億円（6141.76億ユーロ） |
| 純利益 | 4702億円（33.59億ユーロ） |
| 従業員 | 5万846人（04.12） |

**証券・投資銀行**

# 投資銀行の世界的大手、モルガン・スタンレー、メリルリンチ

## ——野村をはじめとする日本勢は、業務提携で世界をめざす！

日本ではインターネット専業の証券会社が業績を伸ばしていることに話題が集まっている。パソコンや携帯電話利用のデイトレーダーの増加にともない、株式売買手数料収入を伸ばしているというわけだ。

だが、世界の大手証券会社はすでに株式売買にともなう手数料に依存しないビジネスモデルを確立。株や債券の自己売買業務やカードビジネスはもとより、政府機関や他の金融機関、さらには個人向けに多様な商品・サービスを提供する金融サービス会社として展開している。

M&A（企業の合併・買収）や企業再生にともなう証券の引受けやアドバイザリー業務、つまりは、投資銀行（インベストメントバンキング）業務も主な収益源になっており、今や世界的な大手証券会社は投資銀行と呼んでも差し支えないほどだ。その証券・投資銀行の世界的大手が**モルガン・スタンレー**であり、**メリルリンチ**や**ゴールドマン・サックス・グループ**、**リーマン・ブラザーズ・ホールディングス**である。い

## 世界の証券・投資銀行大手①

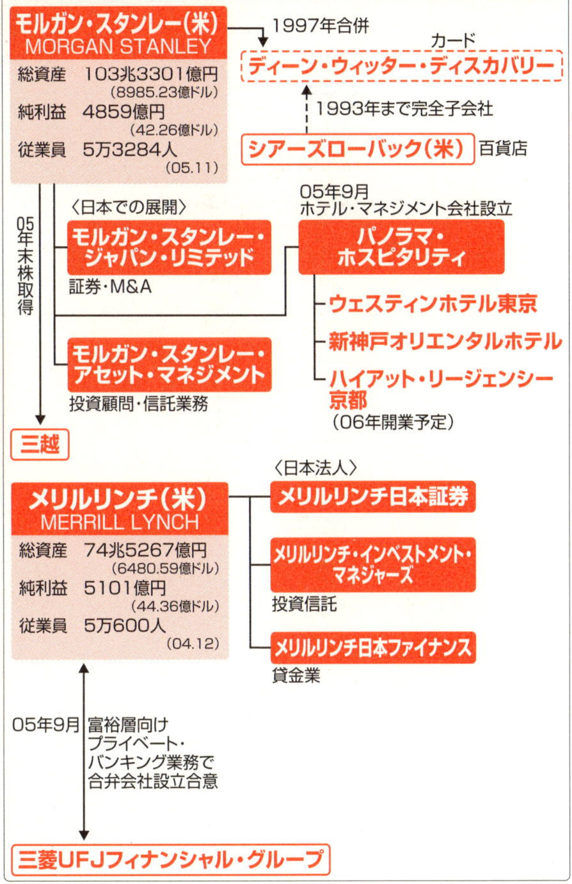
モルガン・スタンレー(米)
MORGAN STANLEY
総資産 103兆3301億円 (8985.23億ドル)
純利益 4859億円 (42.26億ドル)
従業員 5万3284人 (05.11)
1997年合併
カード
ディーン・ウィッター・ディスカバリー
1993年まで完全子会社
シアーズローバック(米) 百貨店
〈日本での展開〉
モルガン・スタンレー・ジャパン・リミテッド
証券・M&A
モルガン・スタンレー・アセット・マネジメント
投資顧問・信託業務
05年9月
ホテル・マネジメント会社設立
パノラマ・ホスピタリティ
ウェスティンホテル東京
新神戸オリエンタルホテル
ハイアット・リージェンシー京都
(06年開業予定)
05年末株取得
三越
メリルリンチ(米)
MERRILL LYNCH
総資産 74兆5267億円 (6480.59億ドル)
純利益 5101億円 (44.36億ドル)
従業員 5万600人 (04.12)
〈日本法人〉
メリルリンチ日本証券
メリルリンチ・インベストメント・マネジャーズ
投資信託
メリルリンチ日本ファイナンス
貸金業
05年9月
富裕層向け
プライベート・
バンキング業務で
合弁会社設立合意
三菱UFJフィナンシャル・グループ

ずれも米国企業だ。

ネット系企業のライブドアが、フジサンケイグループのニッポン放送株を取得する際、８００億円を用意したのはリーマン・ブラザーズ。これまたネット系企業の楽天によるＴＢＳ株買占めでは、楽天側にはゴールドマン・サックス、ＴＢＳ側にはメリルリンチがアドバイザーとして就いたことを記憶している読者も多いだろう。

また、モルガン・スタンレーはサッポロビール系だったウェスティンホテル東京などを買収し、ホテル関連の会社であるパノラマ・ホスピタリティを展開。ゴールドマン・サックスは日本のゴルフ場再生ビジネスを手がけ、アコーディア・ゴルフを立ち上げている。ちなみに、モルガン・スタンレーの収益合計は５２０・８１億ドル。その内訳は、「投資銀行業務7・3％」「自己売買取引16・０％」「受取手数料6・4％」「資産運用などの手数料・カードなど12・０％」「受取利息および配当54・０％」などとなっている（05年11月期）。

95ページでも紹介しているクレディ・スイス傘下の**クレディ・スイス・ファースト・ボストン**も、欧州を代表する投資銀行。**ステート・ストリート・コーポレーション**（米）は、世界最大級の投資機関家向けの資産運用会社。１９７０年代初頭までは

## 世界の証券・投資銀行大手②

**ゴールドマン・サックス・グループ(米)**
GOLDMAN SACHS GROUP

総資産　81兆2824億円
(7068.04億ドル)
純利益　6335億円
(56.09億ドル)
従業員　2万2425人
(05.11)

〈日本での展開〉

- ゴールドマン・サックス証券
- ゴールドマン・サックス・アセット・マネジメント・ジャパン
- アコーディア・ゴルフ
  日本のゴルフ場再生

50%出資 → ゴールドマン・サックス・ミツイ・マリン・デリバティブ ← 50%出資　三井住友海上火災

出資 → 三洋電機

温泉旅館再生事業で提携 ↔ 星野リゾート

アメリカン・エキスプレス(米)
94年まで完全子会社

**リーマン・ブラザーズ・ホールディングス(米)**
LEHMAN BROTHERS HOLDINGS

総資産　47兆1500億円
(4100.00億ドル)
純利益　3749億円
(32.60億ドル)
従業員　1万9579人
(05.11)

〈日本での展開〉

- リーマン・ブラザーズ証券

〈株式大量保有(一時期含む)〉

- シーエスアイ
  電子カルテシステム開発
- インターネット関連
  ライブドア
- 運送事業
  軽貨急配

一般的な商業銀行だったが、その後、資産運用や資産管理による手数料ベースのサービスにビジネスモデルを転換。現在の銀行など金融関係の先駆けといってもいい存在だ。

遅ればせながら、日本の証券大手も子会社などを通してM&Aや企業再生ビジネスへの取り組みをはじめている。

**野村ホールディングス**の子会社、野村プリンシパル・ファイナンスは、西武百貨店とそごうの共同持株会社であるミレニアムリテイリングの経営を支援するため500億円を出資することで65・45%の株式を所有していたが、ミレニアムリテイリングとセブン&アイ・ホールディングス（傘下にイトーヨーカ堂、セブン-イレブン・ジャパンなど）の経営統合（06年6月）に関する申し出を受けて、所有する全株を06年1月31日に1311億円で売却。単純計算でおよそ800億円の利益を出している。

また、同じく野村ホールディングスの子会社、野村証券はM&Aビジネスに関して、英・仏系の投資銀行グループのロスチャイルドと業務提携。**大和証券グループ本社**や**日興コーディアルグループ**とともに、これから世界トップクラスの証券会社・投資銀行を追いかけることになる。

## 世界の証券・投資銀行大手③

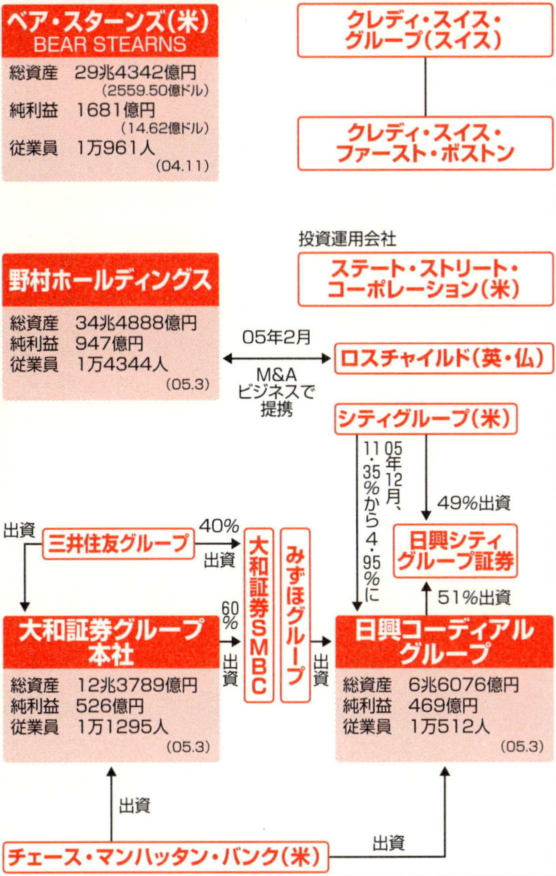
ベア・スターンズ(米)
BEAR STEARNS
総資産 29兆4342億円
(2559.50億ドル)
純利益 1681億円
(14.62億ドル)
従業員 1万961人
(04.11)
クレディ・スイス・グループ(スイス)
クレディ・スイス・ファースト・ボストン
投資運用会社
ステート・ストリート・コーポレーション(米)
野村ホールディングス
総資産 34兆4888億円
純利益 947億円
従業員 1万4344人
(05.3)
05年2月
M&Aビジネスで提携
ロスチャイルド(英・仏)
シティグループ(米)
05年12月、11・35%から4・95%に
49%出資
日興シティグループ証券
51%出資
出資
三井住友グループ
40%
出資
大和証券SMBC
みずほグループ
60%
出資
出資
大和証券グループ本社
総資産 12兆3789億円
純利益 526億円
従業員 1万1295人
(05.3)
日興コーディアルグループ
総資産 6兆6076億円
純利益 469億円
従業員 1万512人
(05.3)
出資
出資
チェース・マンハッタン・バンク(米)

## アクサ(仏)とINGグループ(オランダ)が世界の"2強"

### ——日本生命や第一生命など日本勢も、資産規模では世界大手

日本でもING生命（日）で知られるオランダの**INGグループ**、それにアクサ生命保険とアクサ損害保険を展開する**アクサ**（フランス）が世界の生保会社の両巨頭。

アクサは大手金融グループのBNPパリバ（仏）などを主要株主とし、生命保険はもとより損害保険、資産運用サービスなどを手がける保険・金融グループである。

INGグループはオランダの郵便貯金民営化で誕生したポストバンク（郵便銀行）などとの合併を重ねて規模を拡大してきた金融グループ。保険業にとどまらず銀行業、証券・投資銀行業務、資産管理業など幅広く展開する。日本では再保険を手がける程度であることから知名度は劣るが、INGグループ同様にオランダが拠点の**エイゴン**も世界大手だ。そのほか、日本でピーシーエー生命を手がける**プルデンシャル**（英）、同じく日本でプルデンシャル生命やジブラルタ生命を展開する**プルデンシャル・ファイナンシャル**（米）なども世界大手。イタリアの**ゼネラリ**も日本で自動車保険が中心の会社を運営している。

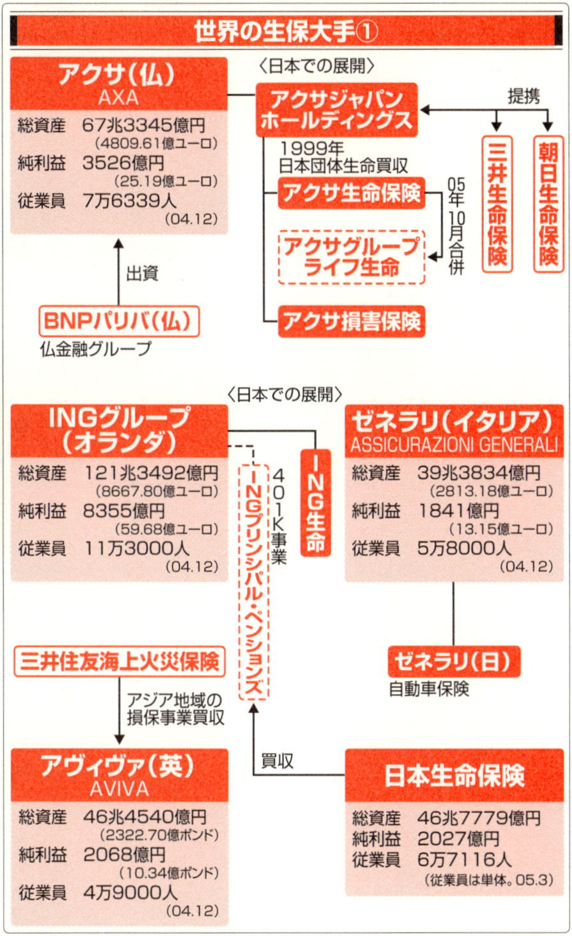
世界の生保大手①
アクサ(仏)
AXA
総資産 67兆3345億円
(4809.61億ユーロ)
純利益 3526億円
(25.19億ユーロ)
従業員 7万6339人
(04.12)
出資
BNPパリバ(仏)
仏金融グループ
〈日本での展開〉
アクサジャパンホールディングス
提携
三井生命保険
朝日生命保険
1999年
日本団体生命買収
アクサ生命保険
05年10月合併
アクサグループライフ生命
アクサ損害保険
〈日本での展開〉
INGグループ(オランダ)
総資産 121兆3492億円
(8667.80億ユーロ)
純利益 8355億円
(59.68億ユーロ)
従業員 11万3000人
(04.12)
ING生命
401K事業
INGプリンシパル・ペンションズ
ゼネラリ(イタリア)
ASSICURAZIONI GENERALI
総資産 39兆3834億円
(2813.18億ユーロ)
純利益 1841億円
(13.15億ユーロ)
従業員 5万8000人
(04.12)
ゼネラリ(日)
自動車保険
三井住友海上火災保険
アジア地域の損保事業買収
アヴィヴァ(英)
AVIVA
総資産 46兆4540億円
(2322.70億ポンド)
純利益 2068億円
(10.34億ポンド)
従業員 4万9000人
(04.12)
買収
日本生命保険
総資産 46兆7779億円
純利益 2027億円
従業員 6万7116人
(従業員は単体。05.3)

日本勢の**日本生命保険**はもとより、**第一生命保険**、**明治安田生命保険**、**住友生命保険**なども、資産規模では世界を代表する保険会社である。ただし、収益構造は海外勢と大きく異なるといっていい。たとえば、日本生命の売上高（経常収益）6兆5043億円のうち4兆8528億円、率にすると74・6％が保険料収入（05年3月期）だ。それに対して、プルデンシャル・ファイナンシャルの場合は、保険料収入の比率は全体収益の44％にすぎず、投資収益が3割（04年12月期）を超している。

プルデンシャル・ファイナンシャルの保険事業を担当する会社は、証券や資産運用、国際投資などを担当する会社と横並びでグループを形成しているように、他の海外勢大手保険会社は銀行などを抱えている例が目立つ。一方の日本勢は、あくまでも保険会社が中心であることが、収益構造の変化にあらわれているといっていいだろう。かつて日本勢は世界最大クラスの機関投資家だった。そのため「ザ・セイホ」がそのまま英語として通用したものだ。

なお、日本生命はINGグループの日本法人を、三井住友海上火災保険は英アヴィヴァのアジアにおける損保事業を買収。世界の銀行大手シティグループの生保事業を買収したのは米**メットライフ**だ。

## 世界の生保大手②

### プルデンシャル（英）
PRUDENTIAL

総資産　34兆9080億円
（1745.40億ポンド）
純利益　858億円
（4.28億ポンド）
従業員　2万2500人
（04.12）

→ ピーシーエー生命（日）

買収 → シティグループ（米）の生保事業

### メットライフ（米）
METLIFE

総資産　41兆329億円
（3568.08億ドル）
純利益　3171億円
（27.58億ドル）
従業員　5万4000人
（04.12）

### CNPアシュアランス（仏）
CNP ASSURANCES

総資産　25兆5098億円
（1822.13億ユーロ）
純利益　880億円
（6.29億ユーロ）
従業員　3913人
（04.12）

### エイゴン（オランダ）
AEGON

総資産　33兆3898億円
（2384.99億ユーロ）
純利益　2328億円
（16.63億ユーロ）
従業員　2万7906人
（04.12）

ジブラルタ生命（日）

### プルデンシャル・ファイナンシャル（米）
PRUDENTIAL FINANCIAL

総資産　46兆1216億円
（4010.58億ドル）
純利益　2594億円
（22.56億ドル）
従業員　3万9418人
（04.12）

→ プルデンシャル生命（日）　05年2月合併 → あおば生命

### 第一生命保険

総資産　29兆9156億円
純利益　1398億円
従業員　4万3946人
（従業員は単体。05.3）

### 明治安田生命保険

総資産　25兆2366億円
純利益　1885億円
従業員　4万5302人
（従業員は単体。05.3）

合弁会社設立 → 中国人民財産保険（中国最大手損保）

### 住友生命保険

総資産　21兆2742億円
純利益　855億円
従業員　4万0070人
（従業員は単体。05.3）

損害保険

## 巨大保険・金融グループのアリアンツ(独)、AIG(米)
### ——国内トップのミレアホールディングスの今後は?

日本でもようやく生命保険会社が損害保険会社を、損害保険会社が生命保険会社を設立するなど相互乗り入れが目立つようになってきたが、世界の大手保険各社はすでに長年にわたって生・損保業務はもとより、資産運用やリスクマネジメントなどを手がけてきた。まさに、保険・金融サービス会社と呼ぶにふさわしい。

総資産は約140兆円。擁する子会社は700で、その従業員数は16万人を超える。事業を展開している国は世界でおよそ70か国。損保を中心とする金融サービス会社として世界トップなのが独**アリアンツ**だ。同社のスタートは1890年。日本ではアリアンツ火災海上保険を展開している。

そもそもの出発は中国・上海。現在は130の国や地域で子会社、現地法人が展開している米国最大の保険会社が**AIG**だ。財務・金融サービス、航空機リース業なども展開するほか、スイスではプライベートバンクも経営している。長年にわたってCEO(最高経営責任者)の座にあった、モーリス・レイモンド・グリーンバーグ氏は

## 世界の損保大手①

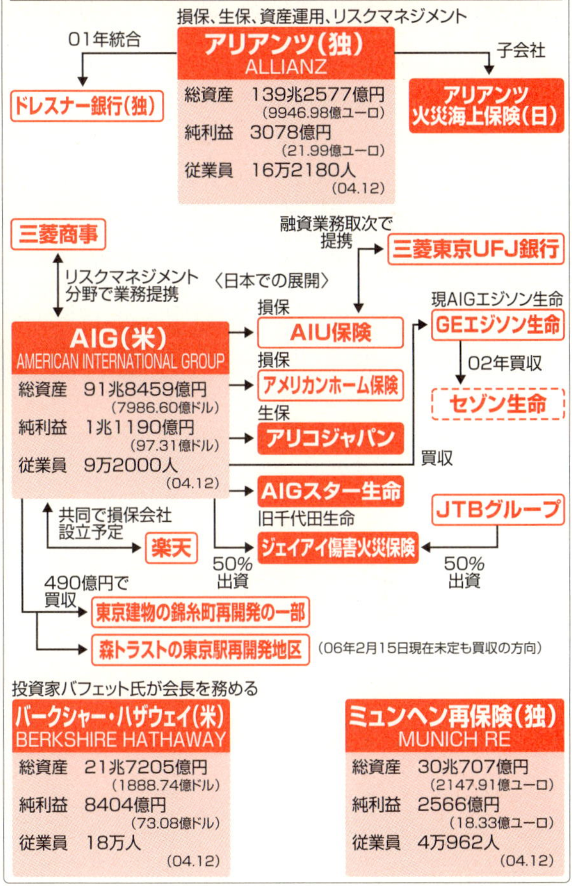
損保、生保、資産運用、リスクマネジメント
アリアンツ(独)
ALLIANZ
総資産 139兆2577億円
(9946.98億ユーロ)
純利益 3078億円
(21.99億ユーロ)
従業員 16万2180人
(04.12)
01年統合
ドレスナー銀行(独)
子会社
アリアンツ火災海上保険(日)
三菱商事
リスクマネジメント分野で業務提携
〈日本での展開〉
融資業務取次で提携
三菱東京UFJ銀行
AIG(米)
AMERICAN INTERNATIONAL GROUP
総資産 91兆8459億円
(7986.60億ドル)
純利益 1兆1190億円
(97.31億ドル)
従業員 9万2000人
(04.12)
損保
AIU保険
損保
アメリカンホーム保険
生保
アリコジャパン
現AIGエジソン生命
GEエジソン生命
02年買収
セゾン生命
買収
AIGスター生命
旧千代田生命
JTBグループ
ジェイアイ傷害火災保険
50%出資
50%出資
共同で損保会社設立予定
楽天
490億円で買収
東京建物の錦糸町再開発の一部
森トラストの東京駅再開発地区
(06年2月15日現在未定も買収の方向)
投資家バフェット氏が会長を務める
バークシャー・ハザウェイ(米)
BERKSHIRE HATHAWAY
総資産 21兆7205億円
(1888.74億ドル)
純利益 8404億円
(73.08億ドル)
従業員 18万人
(04.12)
ミュンヘン再保険(独)
MUNICH RE
総資産 30兆707億円
(2147.91億ユーロ)
純利益 2566億円
(18.33億ユーロ)
従業員 4万962人
(04.12)

05年に退任している。

日本では損害保険のＡＩＵ保険、アメリカンホーム保険、さらには生命保険のアリコジャパン、ＡＩＧスター生命、ＡＩＧエジソン生命などがグループ会社。ＪＴＢと合弁事業を展開しているほか、三菱商事なども業務提携している。

投資家として世界的に知られるバフェット氏が会長を務めるのが**バークシャー・ハザウェイ**（米）である。

損保会社は、リスクを分散させるために別の保険会社に保険をかける。それを「再保険」という。日本の地震保険のかなりの部分はヨーロッパ系の保険会社に再保険をかけている。その再保険会社の大手が**ミュンヘン再保険**（独）や**スイス再保険**だ。

一方、日本勢もここにきて再保険業務の拡大、海外展開の本格化の動きを見せ始めている。国内トップの**ミレアホールディングス**は中国最大手の損保グループであるＰＩＣＣホールディングと合弁事業をはじめている。また、ブラジルではオランダの大手金融機関ＡＢＮアムロ系の損保会社レアルセグロス、生保関連のレアルヴィダに、それぞれ１００％、50％を出資、傘下に収めている。

三井住友海上火災は英アヴィヴァのアジア損保事業を買収している。

## 世界の損保大手②

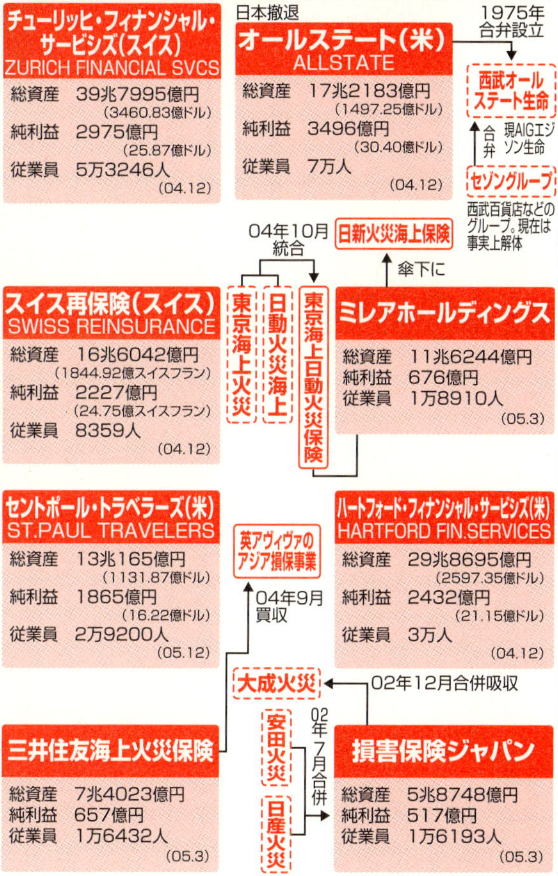
チューリッヒ・フィナンシャル・サービシズ(スイス)
ZURICH FINANCIAL SVCS
総資産 39兆7995億円 (3460.83億ドル)
純利益 2975億円 (25.87億ドル)
従業員 5万3246人
(04.12)
日本撤退
オールステート(米)
ALLSTATE
総資産 17兆2183億円 (1497.25億ドル)
純利益 3496億円 (30.40億ドル)
従業員 7万人
(04.12)
1975年合弁設立
西武オールステート生命
合弁
現AIGエジソン生命
セゾングループ
西武百貨店などのグループ。現在は事実上解体
04年10月統合
日新火災海上保険
傘下に
東京海上火災
日動火災海上
東京海上日動火災保険
スイス再保険(スイス)
SWISS REINSURANCE
総資産 16兆6042億円 (1844.92億スイスフラン)
純利益 2227億円 (24.75億スイスフラン)
従業員 8359人
(04.12)
ミレアホールディングス
総資産 11兆6244億円
純利益 676億円
従業員 1万8910人
(05.3)
セントポール・トラベラーズ(米)
ST.PAUL TRAVELERS
総資産 13兆165億円 (1131.87億ドル)
純利益 1865億円 (16.22億ドル)
従業員 2万9200人
(05.12)
英アヴィヴァのアジア損保事業
04年9月買収
ハートフォード・フィナンシャル・サービシズ(米)
HARTFORD FIN.SERVICES
総資産 29兆8695億円 (2597.35億ドル)
純利益 2432億円 (21.15億ドル)
従業員 3万人
(04.12)
大成火災
02年12月合併吸収
三井住友海上火災保険
総資産 7兆4023億円
純利益 657億円
従業員 1万6432人
(05.3)
安田火災
日産火災
02年7月合併
損害保険ジャパン
総資産 5兆8748億円
純利益 517億円
従業員 1万6193人
(05.3)

## コラム③ 中国企業と、日本など海外勢の提携関係は？

06年正月早々、中国の自動車関連団体は、「05年の国内販売台数は592万台で、日本を抜いて米国に次ぐ世界2位になった」と発表するも、すぐに「統計に誤りがあり、世界3位だった」と訂正したものだ。

ただし、日本約585万台に対して、中国側の訂正した数値は572万台。その差はわずかであり、中国が日本を追い抜くのは時間の問題。GDP（国内総生産）も英国を抜いて米国、日本、ドイツに次ぐ世界4位に躍り出るのは確実視されている。

急成長を遂げる中国経済！

当然のように日本の企業も中国での市場の開拓に取り組んでいるし、生産拠点としてもいまや欠かせない存在になっていることから、現地資本と合弁で工場を立ち上げたり、提携関係を結んで進出したりしている。

それらをまとめたものが表だが、とくに自動車の場合、中国の自動車トップ企業、第一汽車をはじめとして主要中国自動車メーカーはそれぞれが複数の海外勢と手を結んでいる。今後、どこが主導権を握るのか注目されるところだ。

## 中国自動車メーカーと海外勢の提携関係

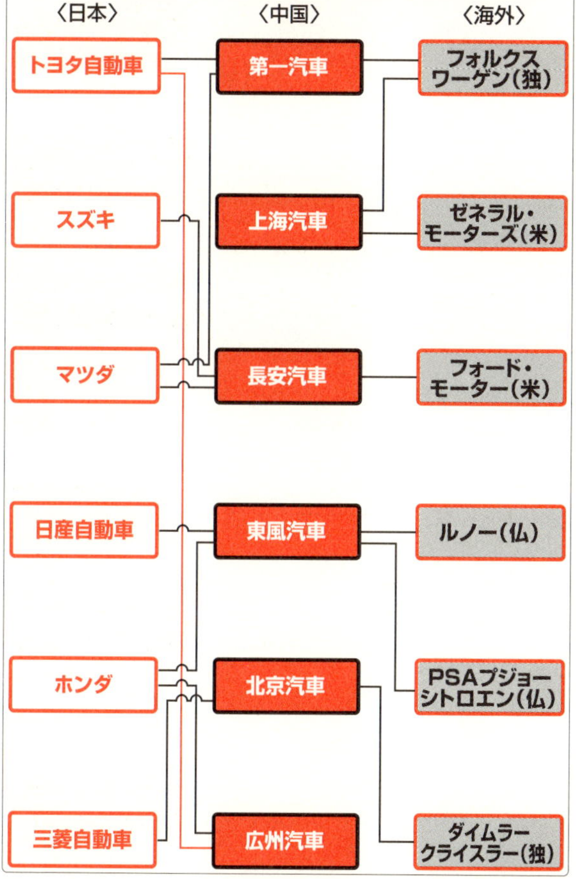

## 中国企業と日本企業の主な提携関係

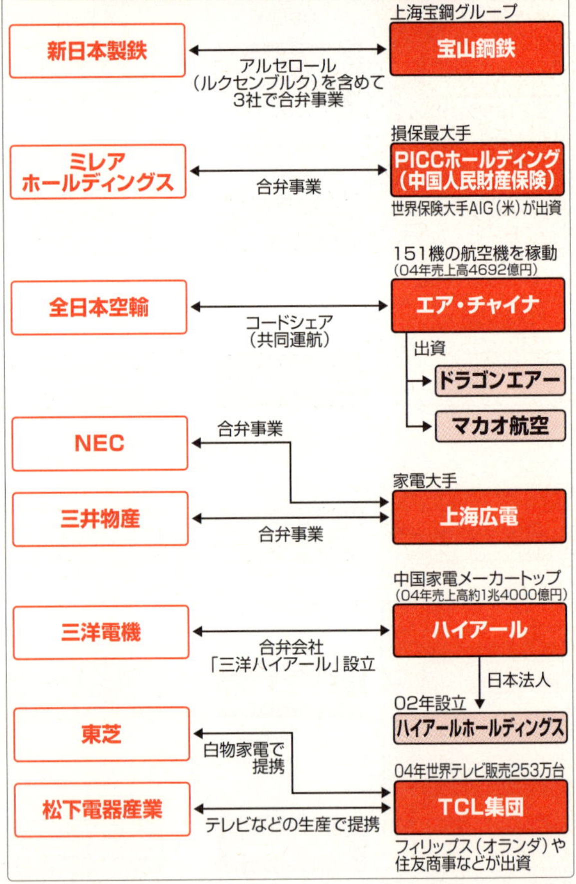

新日本製鉄
上海宝鋼グループ
宝山鋼鉄
アルセロール
(ルクセンブルク)を含めて
3社で合弁事業
ミレア
ホールディングス
損保最大手
PICCホールディング
(中国人民財産保険)
合弁事業
世界保険大手AIG(米)が出資
全日本空輸
151機の航空機を稼動
(04年売上高4692億円)
エア・チャイナ
コードシェア
(共同運航)
出資
ドラゴンエアー
マカオ航空
NEC
合弁事業
家電大手
三井物産
上海広電
合弁事業
中国家電メーカートップ
(04年売上高約1兆4000億円)
三洋電機
ハイアール
合弁会社
「三洋ハイアール」設立
日本法人
02年設立
ハイアールホールディングス
東芝
白物家電で
提携
04年世界テレビ販売253万台
松下電器産業
TCL集団
テレビなどの生産で提携
フィリップス(オランダ)や
住友商事などが出資

# PART 4

## エネルギー・食品飲料・宇宙防衛・建設関連

欧米〝メジャー〟VSアジア勢

# 5大メジャーを追撃するシノペックなど中国勢

## ──日本の最大手、国際石油開発は帝国石油と経営統合

経済発展が著しい中国やインドなどの需要増もあって原油価格が高騰。スーダンやリビア、アンゴラといったこれまで未開拓の地域の原油鉱区をめぐって、世界の石油大手会社を中心とした争奪戦も見られるようになってきた。カナダのオイルサンド（重質油を含む砂）にも注目が集まっている。

世界の石油業界は、かつてはメジャー（国際石油資本）の影響下にあったといってよい。現在はやや弱まっているとはいえ、その影響力は依然として大きい。ただし、エクソン、モービル、ソーカル、ガルフ、テキサコの米国勢とヨーロッパ系のロイヤル・ダッチ・シェル、BPで〝セブンシスターズ（7大多国籍企業群）〟と呼ばれたメジャーは5グループに集約されている。

エクソンとモービルは**エクソンモービル**（米）、ソーカル、ガルフ、テキサコは**シェブロン**（米）になっている。**BP**（英）も買収を繰り返し、シェルはオランダと英国の2本社体制を統合。エクソンモービルの05年12月期の純利益は4兆円超と巨額。

## 石油①

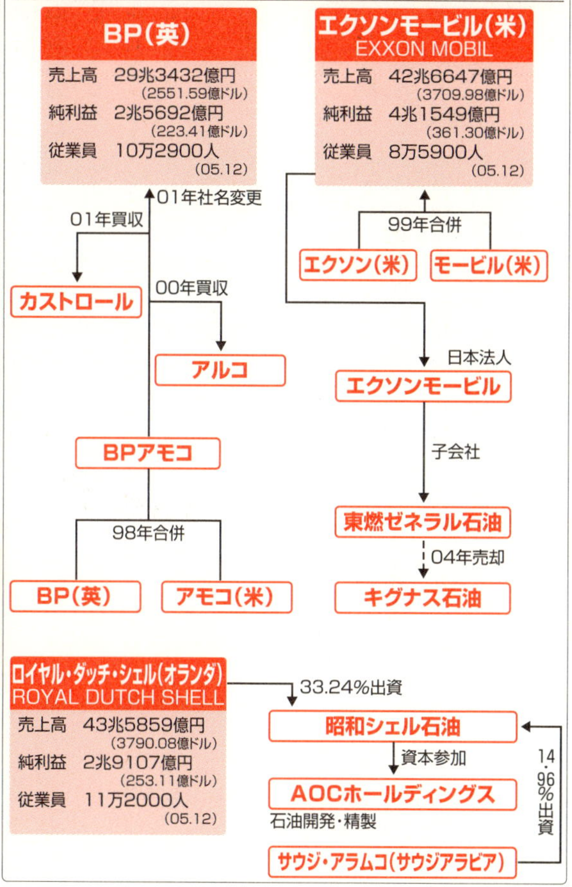
BP(英)
売上高 29兆3432億円 (2551.59億ドル)
純利益 2兆5692億円 (223.41億ドル)
従業員 10万2900人 (05.12)
エクソンモービル(米)
EXXON MOBIL
売上高 42兆6647億円 (3709.98億ドル)
純利益 4兆1549億円 (361.30億ドル)
従業員 8万5900人 (05.12)
01年社名変更
01年買収
カストロール
00年買収
アルコ
BPアモコ
98年合併
BP(英)
アモコ(米)
99年合併
エクソン(米)
モービル(米)
日本法人
エクソンモービル
子会社
東燃ゼネラル石油
04年売却
キグナス石油
ロイヤル・ダッチ・シェル(オランダ)
ROYAL DUTCH SHELL
売上高 43兆5859億円 (3790.08億ドル)
純利益 2兆9107億円 (253.11億ドル)
従業員 11万2000人 (05.12)
33.24%出資
昭和シェル石油
資本参加
AOCホールディングス
石油開発・精製
14.96%出資
サウジ・アラムコ(サウジアラビア)

この4グループにフランス系の**トタル**を加えた現在の5大メジャーを追撃するのが、**中国石油化工（シノペック）**、**中国石油天然ガス**、**中国海洋石油**などの中国勢。中国はいまや米国に次ぐ世界2位の石油輸入国である。その象徴が、中国海洋石油による米石油大手**ユノカル**に対する買収提案。結局、米国内に台頭した〝中国脅威論〟などもあってユノカルの買収はシェブロンで決着した。中国海洋石油は日中間で問題になっている東シナ海のガス田開発も手がける。中国石油天然ガスは、カザフスタンに油田権益を所有するペトロカザフスタン（カナダ）を買収している。

一方、日本勢は世界大手に比べ、石油資源獲得で立ち遅れているのが現状。そのためもあって、石油開発で国内最大手の**国際石油開発**と3位の**帝国石油**は経営統合。06年4月に国際石油開発帝石ホールディングスとしてスタートすることになっていて、石油元売国内最大手の**新日本石油**も資本参加という形で加わる予定だ。5大メジャーのシェルと国内資本の合弁企業**昭和シェル石油**は、**サウジ・アラムコ**から出資を受け入れる一方、アラビア石油と富士石油の持株会社**AOCホールディングス**に出資。

なお、北欧のノルウェーは世界2位クラスの原油輸出国。国営の**スタットオイル**、民間複合企業**ノロスクヒドロ**が大手だ。

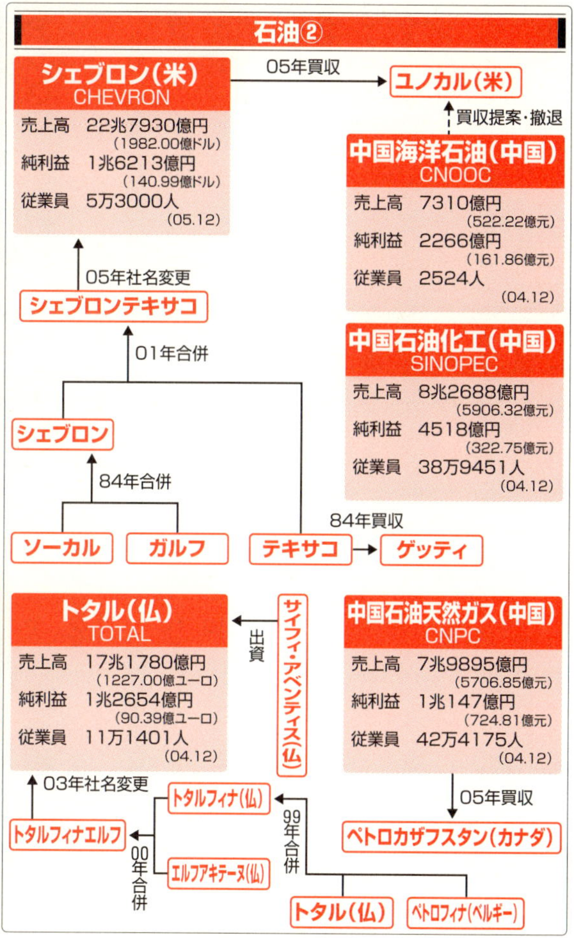
石油②
シェブロン(米)
CHEVRON
売上高　22兆7930億円
(1982.00億ドル)
純利益　1兆6213億円
(140.99億ドル)
従業員　5万3000人
(05.12)
05年買収
ユノカル(米)
買収提案・撤退
中国海洋石油(中国)
CNOOC
売上高　7310億円
(522.22億元)
純利益　2266億円
(161.86億元)
従業員　2524人
(04.12)
05年社名変更
シェブロンテキサコ
01年合併
中国石油化工(中国)
SINOPEC
売上高　8兆2688億円
(5906.32億元)
純利益　4518億円
(322.75億元)
従業員　38万9451人
(04.12)
シェブロン
84年合併
84年買収
ソーカル
ガルフ
テキサコ
ゲッティ
トタル(仏)
TOTAL
売上高　17兆1780億円
(1227.00億ユーロ)
純利益　1兆2654億円
(90.39億ユーロ)
従業員　11万1401人
(04.12)
出資
サイフィ・アベンティス(仏)
中国石油天然ガス(中国)
CNPC
売上高　7兆9895億円
(5706.85億元)
純利益　1兆147億円
(724.81億元)
従業員　42万4175人
(04.12)
03年社名変更
トタルフィナ(仏)
トタルフィナエルフ
00年合併
エルフアキテーヌ(仏)
99年合併
05年買収
ペトロカザフスタン(カナダ)
トタル(仏)
ペトロフィナ(ベルギー)

鉱山・非鉄

## アングロ・アメリカンなどが〝鉱物・非鉄メジャー〟を形成

### ——三井物産、伊藤忠商事、三菱商事の展開は？

中国やインドなど新興国を中心とした急激な需要増から確保競争が激化し、価格が高騰しているのは石油だけではない。鉄鋼の原料である鉄鉱石や原料炭、銅、アルミ、さらにはイリジウムなどレアメタル（希少金属）なども同じである。そうした背景もあり、このところ鉱山開発や非鉄金属関連の会社が注目を集めている。

世界的な鉱物・非鉄会社は**アングロ・アメリカン**（英）、**BHPビリトン**（英・豪）、**リオ・ティント**（英・豪）の3社。BP（英）やエクソンモービル（米）などの〝石油メジャー〟に対して〝鉱物・非鉄メジャー〟などとも呼ばれる。ただし、鉱物・非鉄業界も再編、さらには寡占化が進んでいる。

アングロ・アメリカンは、金や白金、そしてダイヤモンドが世界一。ニッケルやマンガン、銅、鉄鉱石も世界有数であり、紙・木材関係も手がけている総合資源開発グループだ。ビジネス展開は世界65か国。ドイツ系ユダヤ人のアーネスト・オッペンハイマーが創設者で、資本は英・米・南アフリカ。本社はイギリスのロンドンだが中心

## 鉱山・非鉄金属①

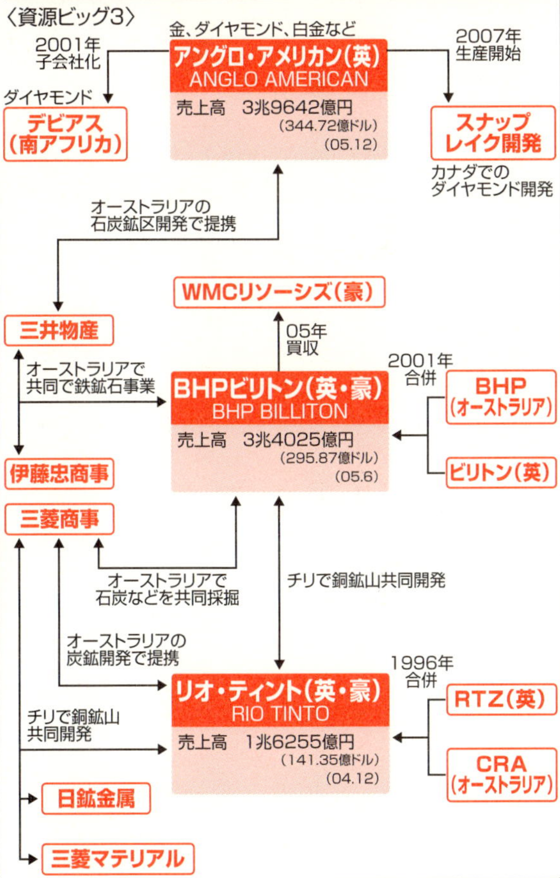
〈資源ビッグ3〉
金、ダイヤモンド、白金など
アングロ・アメリカン(英)
ANGLO AMERICAN
売上高 3兆9642億円
(344.72億ドル)
(05.12)
2001年
子会社化
ダイヤモンド
デビアス
(南アフリカ)
2007年
生産開始
スナップ
レイク開発
カナダでの
ダイヤモンド開発
オーストラリアの
石炭鉱区開発で提携
WMCリソーシズ(豪)
05年
買収
三井物産
オーストラリアで
共同で鉄鉱石事業
BHPビリトン(英・豪)
BHP BILLITON
売上高 3兆4025億円
(295.87億ドル)
(05.6)
2001年
合併
BHP
(オーストラリア)
ビリトン(英)
伊藤忠商事
三菱商事
オーストラリアで
石炭などを共同採掘
チリで銅鉱山共同開発
オーストラリアの
炭鉱開発で提携
1996年
合併
リオ・ティント(英・豪)
RIO TINTO
売上高 1兆6255億円
(141.35億ドル)
(04.12)
RTZ(英)
CRA
(オーストラリア)
チリで銅鉱山
共同開発
日鉱金属
三菱マテリアル

拠点は南アフリカである。

かつてほどではないものの今日もダイヤモンド市場において大きな支配権を持っていることで知られるデビアス（南アフリカ）とは以前からグループを組んでいたが、組織改編などで01年に子会社化、45％の株を所有している。金のアングロゴールド、白金のアングロ・プラティナムもグループ会社。南アフリカ以外にも、オーストラリアやカナダ、南米などに各鉱山を有しているほか、探鉱にも取り組んでいる。07年にはカナダでもダイヤモンドを生産する予定だ。

鉄鉱石、石炭、石油、天然ガスを中心とするオーストラリアのＢＨＰ、それにアルミニウム、非鉄、石炭などが中心の英ビリトンが合併して誕生したのがＢＨＰビリトンである。05年には世界最大のウラン鉱山を所有するＷＭＣリソーシズ（豪）を買収した。

鉱物・非鉄メジャーの一角を形成するリオ・ティントも英国とオーストラリアの2社による合併会社だ。そのほかでは、鉄鉱石世界最大手の**リオドセ**（ブラジル）やアルミの**アルコア**（米）などが主要な会社。ニッケル・銅の**インコ**（カナダ）は同国同業のファルコンブリッジを買収することになっている。

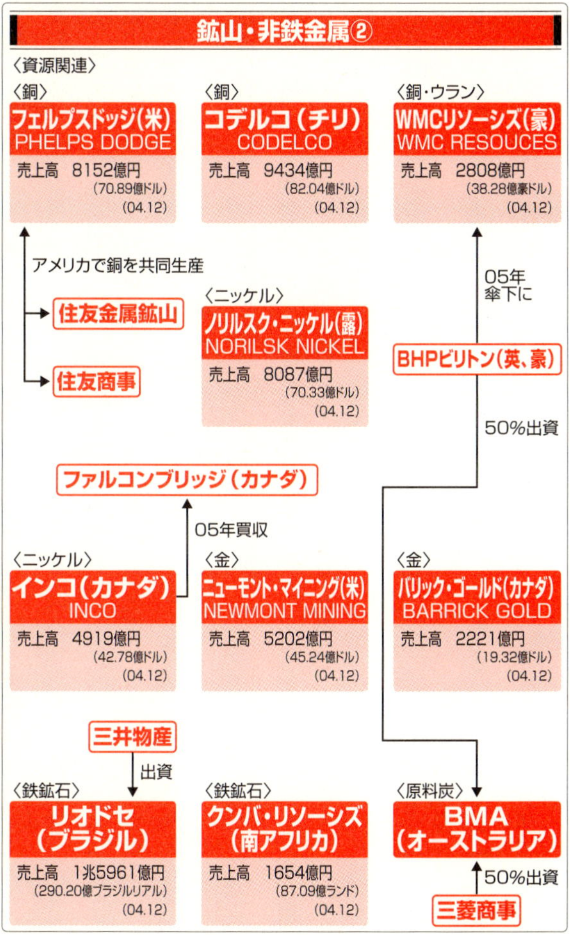
鉱山・非鉄金属②
〈資源関連〉
〈銅〉
フェルプスドッジ(米)
PHELPS DODGE
売上高　8152億円
(70.89億ドル)
(04.12)
〈銅〉
コデルコ（チリ）
CODELCO
売上高　9434億円
(82.04億ドル)
(04.12)
〈銅・ウラン〉
WMCリソーシズ(豪)
WMC RESOUCES
売上高　2808億円
(38.28億豪ドル)
(04.12)
アメリカで銅を共同生産
住友金属鉱山
住友商事
〈ニッケル〉
ノリルスク・ニッケル(露)
NORILSK NICKEL
売上高　8087億円
(70.33億ドル)
(04.12)
05年
傘下に
BHPビリトン(英、豪)
50%出資
ファルコンブリッジ（カナダ）
05年買収
〈ニッケル〉
インコ（カナダ）
INCO
売上高　4919億円
(42.78億ドル)
(04.12)
〈金〉
ニューモント・マイニング(米)
NEWMONT MINING
売上高　5202億円
(45.24億ドル)
(04.12)
〈金〉
バリック・ゴールド(カナダ)
BARRICK GOLD
売上高　2221億円
(19.32億ドル)
(04.12)
三井物産
出資
〈鉄鉱石〉
リオドセ
（ブラジル）
売上高　1兆5961億円
(290.20億ブラジルリアル)
(04.12)
〈鉄鉱石〉
クンバ・リソーシズ
（南アフリカ）
売上高　1654億円
(87.09億ランド)
(04.12)
〈原料炭〉
BMA
（オーストラリア）
50%出資
三菱商事

非鉄金属は、鉄以外の銅、鉛、亜鉛、アルミニウム、金、銀、プラチナといった金属の総称。国内でほとんど採掘されないことから、国内非鉄金属メーカーはそのほとんどを輸入、それを製錬して、工業製品の材料や素材として提供している。海外での鉱山開発を手がけている会社もある。商社の積極的な展開も目立つ。**三菱商事**などは石炭や原油の価格が上昇すれば利益が増えるように、資源会社の横顔も持っている。

ただし、日本勢は自主開発というよりは、鉱物・非鉄メジャーなどが手がける世界各地の鉱山開発などに資金を投資することで「資源権益」を確保するという手法が主流である。**三井物産**はオーストラリアの石炭鉱区開発でアングロ・アメリカンと提携しているほか、ブラジルのリオドセに資本参加。**伊藤忠商事**、BHPビリトンとともに鉄鉱石事業も展開している。

三菱商事はBHPビリトンと石炭事業でBMA（オーストラリア）を共同設立。リオ・ティントが主力になって開発しているオーストラリア最大級の炭鉱開発「クレアモント・プロジェクト」にも参画。BHPビリトンとリオ・ティントが中心になって開発した世界最大級のエスコンディーダ銅鉱山（チリ）では三菱マテリアルや日鉱金属などと参加している。

## 鉱山・非鉄金属③

アルミ世界大手
**アルコア（米）** ALCOA
売上高 2兆6999億円（234.78億ドル）
純利益 1506億円（13.10億ドル）
従業員 11万9000人（04.12）

〈日本での展開〉
- アルミニウムキャップ：**アルコア・クロージャー・システムズ**
- 自動車用ホイール：**アルコア・ホイール・プロダクツ・ジャパン**
- ガスタービン・ジェットエンジン部品：**ハウメット・ジャパン**

アメリカでの合弁事業解消 → **フジクラ**

アルミ世界大手
**アルキャン（カナダ）** ALCAN
売上高 2兆3368億円（203.20億ドル）
純利益 148億円（1.29億ドル）
従業員 7万人（05.12）

↔ 包括契約 **日本軽金属**

| 会社 | 備考 | 売上高 | 時点 |
|---|---|---|---|
| 日本軽金属 | | 5602億円 | (05.3) |
| 同和鉱業 | | 2541億円 | (05.3) |
| 住友金属鉱山 | | 4845億円 | (05.3) |
| 三井金属 | | 4381億円 | (05.3) |
| 住友電気工業 | 電線、光ファイバー | 1兆7401億円 | (05.3) |
| 日鉱金属 | 新日鉱ホールディングス子会社 | 3787億円 | (05.3) |
| 三菱マテリアル | 非鉄金属国内トップ | 9847億円 | (05.3) |
| 東邦亜鉛 | | 637億円 | (05.3) |
| 古河機械金属 | | 1472億円 | (05.3) |

食品

# フィリップモリスのアルトリアやネスレが世界トップを競う

## ――日本最大手の味の素は、アルトリアやダノンなどと提携！

売上高で日本の食品メーカートップは、04年3月期に1兆円台に乗せた味の素（ビール・たばこ企業除く）だが、上には上がいるものだ。米**アルトリアグループ**や**ネスレ**（スイス）、**ダノン・グループ**（仏）など世界大手である。

アルトリアは、タバコのフィリップモリスといった方が馴染み深い。社名を変更して現在はアルトリアグループを中核に、タバコ事業はフィリップモリスUSAやフィリップモリスインターナショナルなどで展開。「ミラーライト」などで知られるビールの世界大手SABミラーに出資しているほか、食品事業も手がけている。タバコ事業を中心に飲料関係なども兼ね備えているという意味では、日本の**JT**（日本たばこ産業）を大きくした会社ともいえるだろう。

アルトリアは1985年にゼネラルフーヅ、88年にはクラフトを買収。その両社を合併させてクラフトゼネラルフーヅとしたのち、現在はクラフトフーヅの社名で食品事業を手がけている。2000年には山崎製パンなどと合弁を展開していた（現在は

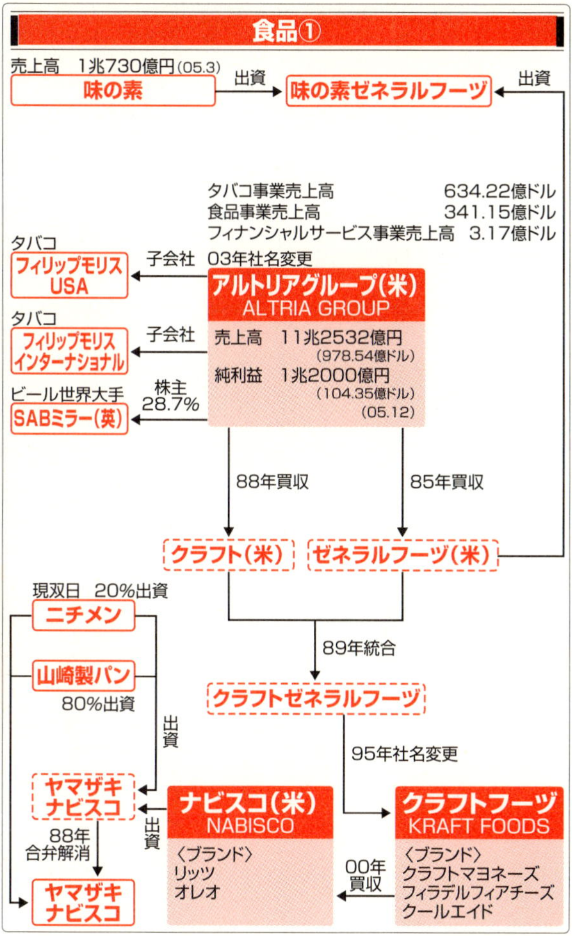
食品①
売上高 1兆730億円(05.3)
味の素
出資
味の素ゼネラルフーヅ
出資
タバコ事業売上高 634.22億ドル
食品事業売上高 341.15億ドル
フィナンシャルサービス事業売上高 3.17億ドル
タバコ
フィリップモリスUSA
子会社
03年社名変更
アルトリアグループ(米)
ALTRIA GROUP
売上高 11兆2532億円 (978.54億ドル)
純利益 1兆2000億円 (104.35億ドル) (05.12)
タバコ
フィリップモリスインターナショナル
子会社
ビール世界大手
SABミラー(英)
株主 28.7%
88年買収
85年買収
クラフト(米)
ゼネラルフーヅ(米)
現双日 20%出資
ニチメン
山崎製パン
80%出資
出資
89年統合
クラフトゼネラルフーヅ
95年社名変更
ヤマザキナビスコ
出資
ナビスコ(米)
NABISCO
〈ブランド〉
リッツ
オレオ
クラフトフーヅ
KRAFT FOODS
〈ブランド〉
クラフトマヨネーズ
フィラデルフィアチーズ
クールエイド
00年買収
88年合弁解消
ヤマザキナビスコ

解消）ナビスコ（米）も買収している。

アルトリアの食品関係の主要ブランドは「フィラデルフィアチーズ」や「クールエイド」「リッツ」「オレオ」などである。

ミネラルウォーターのペリエやパスタのブイトーニ、ペットフードのピュリナなどを買収してきたのがスイスのネスレだ。M&A（企業の合併・買収）で成功してきた代表的な企業。全世界に25万人の従業員を抱える。

同グループにとって最大の市場である米国や日本を含む昨年の売上高は867億スイスフラン。1スイスフラン90円換算だと約7兆8000億円、純利益は67億スイスフラン（約6000億円）だった。売上規模でいえば、JTとアサヒビール、それにキリンビールの3社合計に匹敵する。

ネスレは**雪印乳業**と合弁事業を展開しているほか、**ポッカコーポレーション**と自動販売機の展開で提携関係にあり、資本参加もしている。

ミネラルウォーターの「エビアン」や「ダノンヨーグルト」ブランドを持つのがダノン・グループ。**ヤクルト本社**の主要株主であるほか、味の素などと合弁事業を展開している。ちなみに、味の素はダノン・グループの子会社アモイ・フードを06年1月

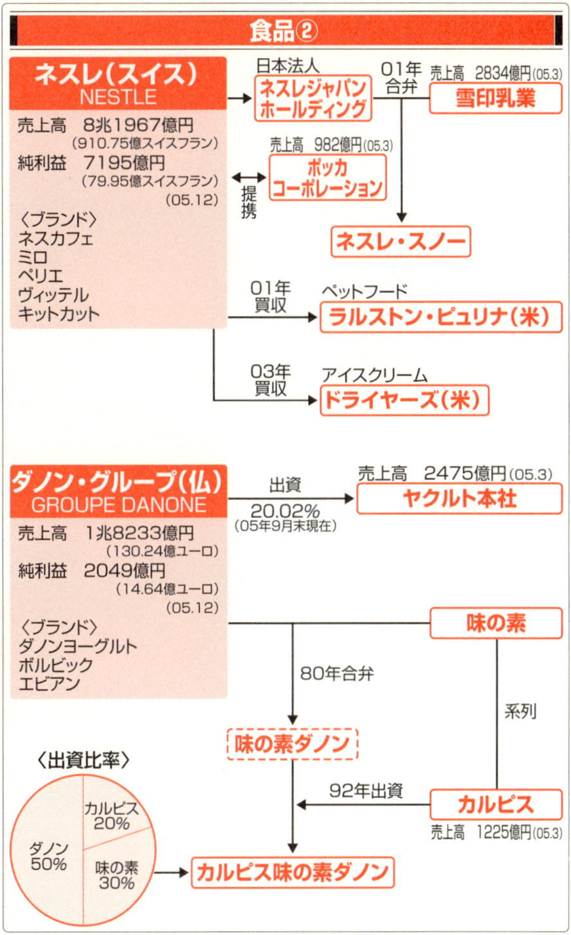
食品②
ネスレ(スイス)
NESTLE
売上高 8兆1967億円
(910.75億スイスフラン)
純利益 7195億円
(79.95億スイスフラン)
(05.12)
〈ブランド〉
ネスカフェ
ミロ
ペリエ
ヴィッテル
キットカット
日本法人
ネスレジャパンホールディング
01年合弁
売上高 2834億円(05.3)
雪印乳業
売上高 982億円(05.3)
ポッカコーポレーション
提携
ネスレ・スノー
01年買収
ペットフード
ラルストン・ピュリナ(米)
03年買収
アイスクリーム
ドライヤーズ(米)
ダノン・グループ(仏)
GROUPE DANONE
売上高 1兆8233億円
(130.24億ユーロ)
純利益 2049億円
(14.64億ユーロ)
(05.12)
〈ブランド〉
ダノンヨーグルト
ボルビック
エビアン
出資
20.02%
(05年9月末現在)
売上高 2475億円(05.3)
ヤクルト本社
味の素
80年合弁
系列
味の素ダノン
92年出資
カルピス
売上高 1225億円(05.3)
〈出資比率〉
ダノン 50%
カルピス 20%
味の素 30%
カルピス味の素ダノン

に買収。アモイ・フードは香港や天津、西安など中国の主要都市で中華系調味料（しょう油）トップシェアを誇る食品メーカー。北米や欧州でも冷凍食品などを展開。1990年代初頭にダノンの傘下に入っていた。

日本では**コカ・コーラ**（米）と**ペプシコ**（米）では、コカ・コーラの方が優位にあるが米国ではほぼ互角。飲料関係に特化しているコカ・コーラに対してペプシコは「フリトレー」や「クエーカー」ブランドを展開しているように食品関係事業を持っているというちがいもある。なお、ペプシコは**サントリー**と関係が深いほか、**キリンビバレッジ**と合弁を展開。対するコカ・コーラは所有していた映画のコロンビアピクチャーズエンターテインメントをソニーに売却している。コカ・コーラは北米地域ではダノン・グループの「エビアン」を販売している。

スキンケア商品の「ポンズ」や「ラックス」で知られる**ユニリーバ**（英・オランダ）も世界食品大手。紅茶の「リプトン」「ブルックボンド」やマーガリンの「ラーマ」などが主要ブランドだ。

**コンアグラ・フーズ**（米）は日本では知名度が低いが小麦などの生産も手がける食品会社。生鮮肉や肥料事業からは撤退している。

## 食品③

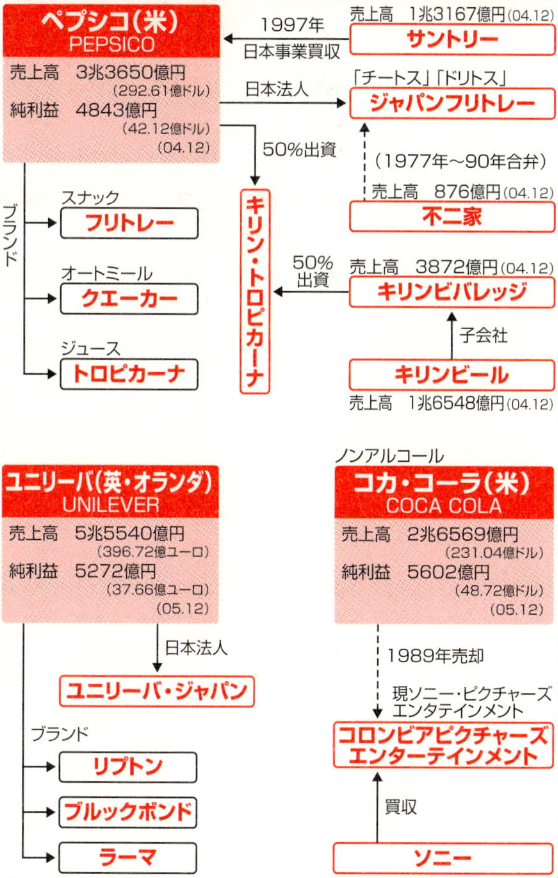
ペプシコ(米)
PEPSICO
売上高 3兆3650億円
(292.61億ドル)
純利益 4843億円
(42.12億ドル)
(04.12)
1997年
日本事業買収
売上高 1兆3167億円(04.12)
サントリー
日本法人
「チートス」「ドリトス」
ジャパンフリトレー
50%出資
(1977年〜90年合弁)
売上高 876億円(04.12)
不二家
ブランド
スナック
フリトレー
オートミール
クエーカー
ジュース
トロピカーナ
キリン・トロピカーナ
50%
出資
売上高 3872億円(04.12)
キリンビバレッジ
子会社
キリンビール
売上高 1兆6548億円(04.12)
ユニリーバ(英・オランダ)
UNILEVER
売上高 5兆5540億円
(396.72億ユーロ)
純利益 5272億円
(37.66億ユーロ)
(05.12)
日本法人
ユニリーバ・ジャパン
ブランド
リプトン
ブルックボンド
ラーマ
ノンアルコール
コカ・コーラ(米)
COCA COLA
売上高 2兆6569億円
(231.04億ドル)
純利益 5602億円
(48.72億ドル)
(05.12)
1989年売却
現ソニー・ピクチャーズ
エンタテインメント
コロンビアピクチャーズ
エンターテインメント
買収
ソニー

**サラ・リー**（米）は、日本では女性下着の「ワンダーブラ」やスポーツウエア「チャンピオン」ブランドなどを展開。ライセンス契約に基づいて「ポロ・ラルフローレン」も手がけていて衣料関係の会社に思いがちだが、総合消費財メーカー。加工食肉や冷凍ケーキ、パンなど食品事業もおこなっており、ホットドッグ「ブライアン」やコーヒー「メゾン・ドゥ・カフェ」などが主要ブランドである。

**マコーミック**（米）はスパイス世界最大手。**ライオン**と共同出資し、ライオンマコーミックを設立している。ただし、中外製薬の大衆薬事業を買収するなどしているライオンは食品事業からは撤退。現在はミツカングループ本社が、ライオンマコーミックが製造するマコーミックブランドの販売を手がけている。

そのほか表にはしなかったが、**デルモンテフーズ**（米）や**バスキン・ロビンス**（米）、**ゼネラルミルズ**（米）などが日本では知られる食品関連企業だ。

トマトケチャップのデルモンテは**キッコーマン**と提携。バスキン・ロビンスは**不二家**とB―Rサーティワンアイスクリームを合弁で展開。サントリー、それにタカナシ乳業とアイスクリームのハーゲンダッツ・ジャパンを合弁で設立しているのが米**ピルズベリー**で、同社は米ゼネラルミルズの傘下に入っている。

## 食品④

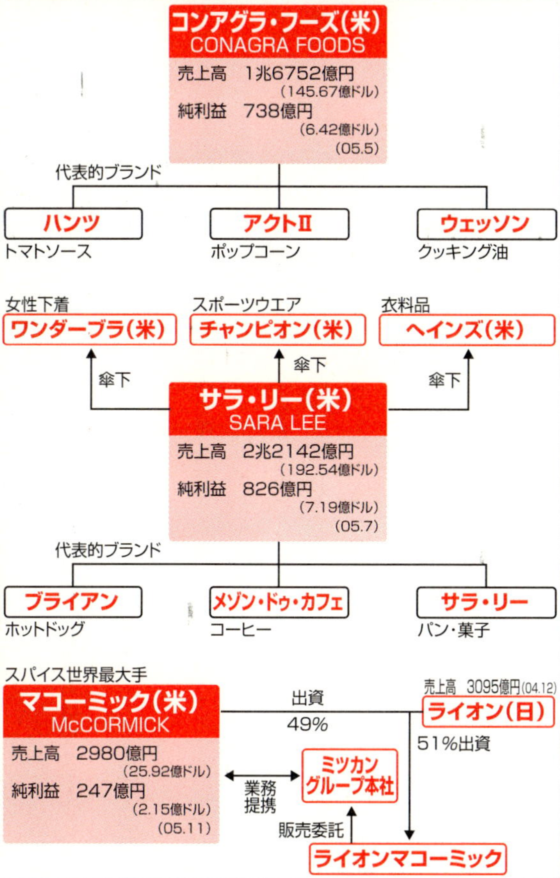
コンアグラ・フーズ(米)
CONAGRA FOODS
売上高　1兆6752億円
(145.67億ドル)
純利益　738億円
(6.42億ドル)
(05.5)
代表的ブランド
ハンツ
トマトソース
アクトⅡ
ポップコーン
ウェッソン
クッキング油
女性下着
ワンダーブラ(米)
スポーツウエア
チャンピオン(米)
衣料品
ヘインズ(米)
傘下
傘下
傘下
サラ・リー(米)
SARA LEE
売上高　2兆2142億円
(192.54億ドル)
純利益　826億円
(7.19億ドル)
(05.7)
代表的ブランド
ブライアン
ホットドッグ
メゾン・ドゥ・カフェ
コーヒー
サラ・リー
パン・菓子
スパイス世界最大手
マコーミック(米)
McCORMICK
売上高　2980億円
(25.92億ドル)
純利益　247億円
(2.15億ドル)
(05.11)
出資
49%
売上高　3095億円(04.12)
ライオン(日)
51%出資
業務提携
ミツカングループ本社
販売委託
ライオンマコーミック

食糧生産

# 世界の食糧を支配する〝穀物メジャー〟最大手カーギル（米）

## ——米国最大の牛肉、豚肉の購入者はマクドナルド

穀物や肉類の大量消費者といえばファーストフードや外食産業。たとえば、ハンバーガーのマクドナルド（米）は、米国最大の牛肉、豚肉、じゃがいもの購入者。鶏肉でもトップクラスだ。一方、供給側は**カーギル**であり、**タイソンフーズ**であり、**アーチャー・ダニエルズ・ミッドランド**といった米国勢である。

その中でも最大手はカーギル。同社を紹介するときには必ず〝穀物メジャー〟という形容詞がつけられるように、世界の穀物市場の4分の1を握っているとされる。1997年に経営破綻した食品商社、東食のスポンサーとなって経営再建にあたったほか、不動産投資アドバイザリーのケネディクス（旧ケネディ・ウィルソン・ジャパン）に資本参加している。ケネディクスは、千葉県浦安市の大型物流倉庫などの建設も手がけている。アーチャー・ダニエルズ・ミッドランドもカーギルと並ぶ穀物メジャー。タイソンフーズは、鶏肉はもとより食肉生産・加工大手である。**バンゲ**（米）も肥料や飼料、食用油などを手がける世界大手。

## 食糧生産

穀物、家畜、飼料生産
世界最大手

**カーギル(米)**
CARGILL
売上高 8兆1725億円
(710.66億ドル)
純利益 2418億円
(21.03億ドル)
(05.5)

スポンサー → 97年経営破綻 **東食** 04年会社更生手続終結

出資 → 不動産投資アドバイザー **ケネディクス**

大豆、トウモロコシ、小麦、ココア
生産世界大手

**アーチャー・ダニエルズ・ミッドランド(米)**
ARCHER DANIELS MIDLAND
売上高 4兆1335億円
(359.44億ドル)
純利益 1200億円
(10.44億ドル)
(05.6)

鶏肉を中心とした食肉加工
世界最大手

**タイソンフーズ(米)**
TYSON FOODS
売上高 2兆9916億円
(260.14億ドル)
純利益 405億円
(3.53億ドル)
(05.10)

食用油、穀物、飼料、肥料生産
世界大手

**バンゲ(米)**
BUNGE
売上高 2兆8943億円
(251.68億ドル)
純利益 539億円
(4.69億ドル)
(04.12)

**全農(日)**
ZEN NOH
売上高 6兆8042億円
純利益 110億円
(05.3)

**マクドナルド(米)**
MCDONALDS
売上高 2兆3529億円
(204.60億ドル)
純利益 2992億円
(26.02億ドル)
(05.12)

タバコ

## 世界販売は「マールボロ」が圧倒、2位が「マイルドセブン」

### ――米レイノルズの世界的ブランドも展開するJTは世界第何位？

年間4500億本以上（04年4664億本）と、世界で最も売れているタバコは「マールボロ」だ。製造販売しているのは旧フィリップモリス。現在は、**アルトリアグループ**（米）と社名を変更している。

アルトリアは食品会社の顔も持つ。1985年にゼネラルフーヅ、88年にクラフトを買収してクラフトゼネラルフーヅにしたのち、クラフトフーヅに商号変更。「キャメル」を販売の現**レイノルズ・アメリカン**（米）から、食品部門のナビスコも買収している。ビール部門のミラーはSAB（南アフリカ）に売却したが、新しく生まれた世界大手SABミラー（英）の株主でもある。

世界2位は、1156億本（04年）のマイルドセブン。日本の**JT**（日本たばこ産業）が手がけている。そのほかJTは「ウィンストン」や「キャメル」という米レイノルズの世界的なブランドも展開。これは同社の米国以外の事業を取得しているからだ。英国の**BAT**は売上規模でJTを上回る。

## タバコ

旧フィリップモリス（03年社名変更）

**アルトリアグループ（米）**
**ALTRIA GROUP**

売上高　11兆2532億円
（978.54億ドル）
純利益　1兆2000億円
（104.35億ドル）
（05.12）

→ 子会社

タバコ部門

**フィリップモリスインターナショナルなど**

〈ブランド〉
マールボロ
バージニア・スリム
パーラメント　ラーク

→ 子会社

**クラフトフーヅ**

→ 2000年に食品部門「ナビスコ」を買収

05年4月　マールボロ製品の日本国内製造・販売ライセンス契約終了

**JT（日本）**
**日本たばこ産業**

売上高　4兆6645億円
純利益　625億円
（05.3）

〈ブランド〉
マイルドセブン　キャスター

旧RJRナビスコ

**レイノルズ・アメリカン（米）**
**REYNOLDS AMERICAN**

売上高　9494億円
（82.56億ドル）
純利益　1198億円
（10.42億ドル）
（05.12）

〈ブランド〉
キャメル　ウィンストン
セーラム　クール

→ 1999年米国外のたばこ事業買収

**BAT（英）**
**ブリティッシュ・アメリカン・タバコ**
**BRITISH AMERICAN TOBACCO**

売上高　6兆8510億円
（342.55億ポンド）
純利益　2196億円
（10.98億ポンド）
（04.12）

〈ブランド〉
ケント　ラッキーストライク
ダンヒル

**インペリアル・タバコ（英）**
**IMPERIAL TOBACCO**

売上高　2兆2510億円
（112.55億ポンド）
純利益　1140億円
（5.70億ポンド）
（05.9）

〈ブランド〉
ウエスト　ダビドフ

→ 99年合併

**ロスマンズ（英）**

→ 出資

高級ブランド

**リシュモン（スイス）**

## ビール

# M&Aでインベブ(ベルギー)やSABミラー(英)などが誕生

## ——国別消費量トップの中国で、世界大手が激突!

アサヒ、キリン、サッポロ、サントリー、それにオリオンを含めて5社体制で長く固定している日本とはちがって、世界のビール業界のM&A(企業の合併・買収)は活発だ。

04年にはベルギーのインターブリューがブラジルのアンベビを買収、**インベブ**(ベルギー)が誕生している。売上高では米**アンハイザー・ブッシュ**(税抜きで1兆7291億円)や日本勢には劣るがビールの販売量では世界トップに立った。

05年にはアドルフ・クアーズ(米)とモルソン(カナダ)の合併もあった。

少しさかのぼった02年には、タバコのフィリップモリス(現アルトリアグループ)傘下のミラー(米)とSAB(南アフリカ)の合併で**SABミラー**が誕生している。

現在、ビールの国別消費量でトップは中国。それまでトップだったアメリカを03年に抜いたといわれている。

その中国のビール市場をめぐって、世界大手が激突。アンハイザーは**青島ビール**

## ビール①

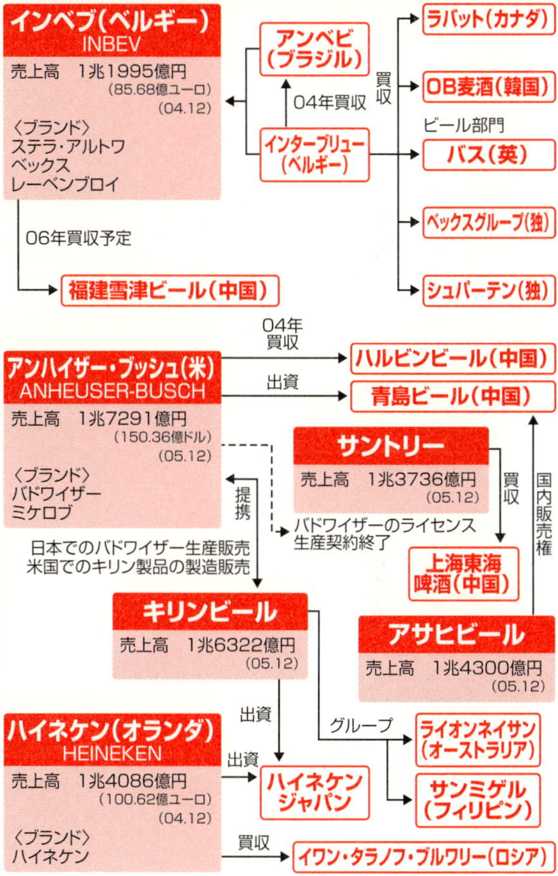
インベブ(ベルギー)
INBEV
売上高 1兆1995億円
(85.68億ユーロ)
(04.12)
〈ブランド〉
ステラ・アルトワ
ベックス
レーベンブロイ
アンベビ(ブラジル)
04年買収
インターブリュー(ベルギー)
買収
ラバット(カナダ)
OB麦酒(韓国)
ビール部門
バス(英)
ベックスグループ(独)
シュパーテン(独)
06年買収予定
福建雪津ビール(中国)
アンハイザー・ブッシュ(米)
ANHEUSER-BUSCH
売上高 1兆7291億円
(150.36億ドル)
(05.12)
〈ブランド〉
バドワイザー
ミケロブ
04年買収
ハルビンビール(中国)
出資
青島ビール(中国)
サントリー
売上高 1兆3736億円
(05.12)
買収
上海東海啤酒(中国)
国内販売権
バドワイザーのライセンス生産契約終了
提携
日本でのバドワイザー生産販売
米国でのキリン製品の製造販売
キリンビール
売上高 1兆6322億円
(05.12)
アサヒビール
売上高 1兆4300億円
(05.12)
出資
グループ
ライオンネイサン(オーストラリア)
サンミゲル(フィリピン)
ハイネケン(オランダ)
HEINEKEN
売上高 1兆4086億円
(100.62億ユーロ)
(04.12)
〈ブランド〉
ハイネケン
出資
ハイネケンジャパン
買収
イワン・タラノフ・ブルワリー(ロシア)

（中国）に出資しているほか、**ハルビンビール**（中国）を買収。ハルビンにはSAB も出資していたが、買収合戦でアンハイザーが勝利した形だ。日本勢も**サントリー**が上海のビール会社を買収するなど、上海地区で高いシェアを獲得。**キリンビール**や**アサヒビール**も進出している。

洋酒部門のトップは**ディアジオ**（英）。英ギネス・グループと米グランメトロポリタンの合併で誕生した総合食品会社だ。日本では高級ブランドのLVMHモエ・ヘネシー・ルイ・ヴィトンと組んで洋酒の販売を展開している。

そのディアジオと**ペルノ・リカール**（仏）が共同で買収したのがシーグラム（カナダ）の酒類事業。シーグラムは日本のキリンビールと組んでいたことから中高年層を中心に馴染みがあった。そもそも酒類事業を売却する一方でシーグラムは、ヴィヴェンディ（仏）と合併しメディア企業になっていた（57ページ参照）。

また、ペルノは洋酒大手の**アライド・ドメック**（英）を買収したことで、洋酒はディアジオとの2強体制になった。ただし、アライド買収で手にしたダンキンドーナツは売却している。なお、旧シーグラムブランドの国内販売権と「フォアローゼズ」ブランドの世界事業権はキリンが取得している。

## ビール②

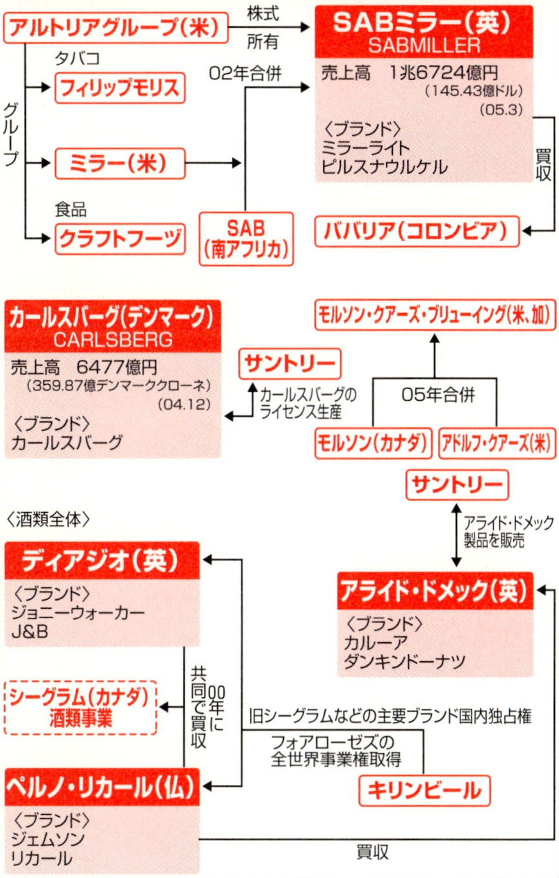
アルトリアグループ(米)
株式
所有
SABミラー(英)
SABMILLER
売上高　1兆6724億円
(145.43億ドル)
(05.3)
〈ブランド〉
ミラーライト
ピルスナウルケル
タバコ
フィリップモリス
02年合併
グループ
ミラー(米)
食品
クラフトフーヅ
SAB(南アフリカ)
買収
ババリア(コロンビア)
カールスバーグ(デンマーク)
CARLSBERG
売上高　6477億円
(359.87億デンマーククローネ)
(04.12)
〈ブランド〉
カールスバーグ
サントリー
カールスバーグのライセンス生産
モルソン・クアーズ・ブリューイング(米、加)
05年合併
モルソン(カナダ)
アドルフ・クアーズ(米)
サントリー
アライド・ドメック製品を販売
〈酒類全体〉
ディアジオ(英)
〈ブランド〉
ジョニーウォーカー
J&B
アライド・ドメック(英)
〈ブランド〉
カルーア
ダンキンドーナツ
シーグラム(カナダ)酒類事業
00年に共同で買収
旧シーグラムなどの主要ブランド国内独占権
フォアローゼズの全世界事業権取得
キリンビール
ペルノ・リカール(仏)
〈ブランド〉
ジェムソン
リカール
買収

宇宙・防衛

## 世界一の米ボーイングを、ヨーロッパ2社で組むエアバスが追う
### ――海外勢と提携する三菱重工、川崎重工、石川島播磨の展開は?

日本企業が太刀打ちできない業界のひとつが、宇宙・防衛関連である。

世界トップは米**ボーイング**。1916年に航空機会社として従業員24名で出発。その後、米国陸軍および海軍の戦闘機主要製作会社の1社になり、第二次世界大戦のB17型爆撃機などを生産。近年はロックウェルの航空宇宙・防衛事業、ヒューズの宇宙・通信事業、さらにはマクドネル・ダグラスなどの買収を通して規模を拡大してきた。軍用機、ミサイル・システム、宇宙関連、民間航空機製造など幅広く手がける。

2004年12月期、売上高は524億ドル。民間航空機事業210億ドルに対して、防衛関連は300億ドル超という内訳だ。

日本企業では、とくに**三菱重工業**や**川崎重工業**、それにトヨタグループ入りした**富士重工業**との関係が深い。三菱重工はF15戦闘機、川重はCH47ヘリコプター、富士重はAH64Dアパッチ・ヘリコプターなどをライセンス生産している。

ボーイングと日本の航空機産業のスタートは1969年。737型機以降のことで、

## 宇宙・防衛①

**ボーイング(米)**
THE BOEING COMPANY

売上高 6兆325億円
(524.57億ドル)
純利益 2152億円
(18.72億ドル)
従業員 15万9000人
(04.12)

- 96年買収 → 航空宇宙・防衛事業 **ロックウェル**
- 97年買収 → **マクドネル・ダグラス**
- 00年買収 → 宇宙・通信事業 **ヒューズ**
- 00年買収 → **エアロインフォ・システムズ**

**東レ** → 炭素繊維複合材料供給 → ボーイング

〈ボーイング05年12月期〉
売上高 6兆3071億円
(548.45億ドル)
純利益 2957億円
(25.72億ドル)

**●民間ジェット機納入数**(04年末現在累計)

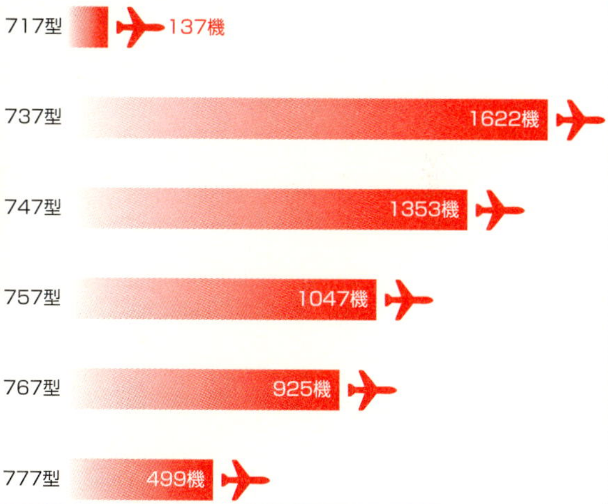

747型機、757型機……と機体が新しくなるほど日本企業、三菱重工や川崎重工、富士重工の担当割合が増加。767型は機体の約15％の製造だったが、777型では20％になり、次期旅客機787型では日本側が35％分の生産を担当することで合意している。ユニークな存在は繊維関連の東レ。東レは航空機向けなどに炭素繊維複合材料をボーイングに供給している。

気象衛星「ひまわり」の最初の衛星を打ち上げたのもボーイングであるように、ボーイングは私たちの生活にもかかわりがある。BS放送やCS放送も普及しているが、04年に打ち上げられた通信衛星「スーパーバード6」はボーイング製造によるものだ。

民間航空機でボーイングと覇を競うエアバスは、オランダの軍需企業**EADS**と英**BAEシステムズ**の共同出資会社だ。

EADSはフランス、ドイツ、スペインの3社が合併して誕生した会社。ダイムラークライスラーやフランス政府などが主要株主で宇宙産業がメイン。BAEシステムズはヨーロッパ最大の軍需産業の会社である。

米国の**ロッキード・マーチン**と**レイセオン**は売上の約9割が軍需関係。レイセオンはペトリオットミサイルで三菱重工と提携。ロッキード・マーチンは、2000年に

## 宇宙・防衛②

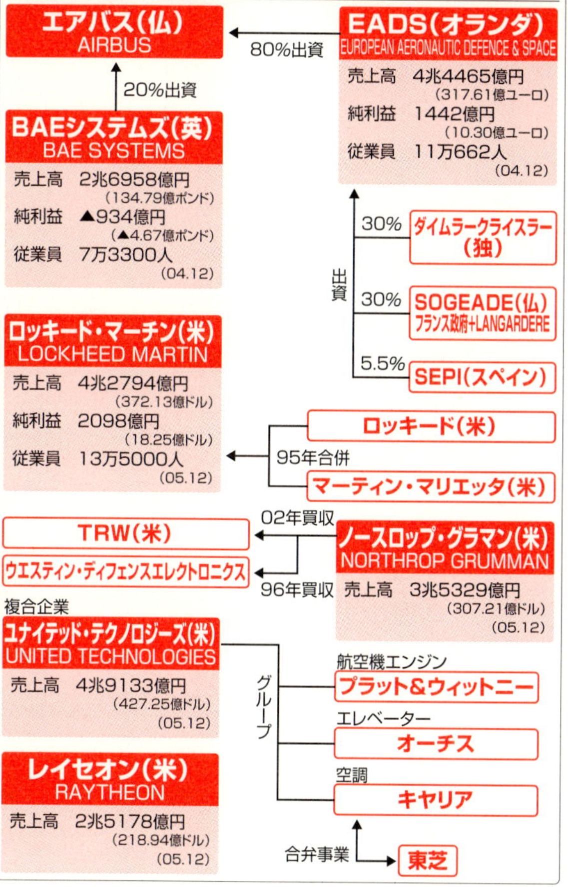
エアバス(仏)
AIRBUS
80%出資
EADS(オランダ)
EUROPEAN AERONAUTIC DEFENCE & SPACE
売上高 4兆4465億円
(317.61億ユーロ)
純利益 1442億円
(10.30億ユーロ)
従業員 11万662人
(04.12)
20%出資
BAEシステムズ(英)
BAE SYSTEMS
売上高 2兆6958億円
(134.79億ポンド)
純利益 ▲934億円
(▲4.67億ポンド)
従業員 7万3300人
(04.12)
出資
30%
ダイムラークライスラー(独)
30%
SOGEADE(仏)
フランス政府+LANGARDERE
5.5%
SEPI(スペイン)
ロッキード・マーチン(米)
LOCKHEED MARTIN
売上高 4兆2794億円
(372.13億ドル)
純利益 2098億円
(18.25億ドル)
従業員 13万5000人
(05.12)
ロッキード(米)
95年合併
マーティン・マリエッタ(米)
TRW(米)
02年買収
ウエスティン・ディフェンスエレクトロニクス
96年買収
ノースロップ・グラマン(米)
NORTHROP GRUMMAN
売上高 3兆5329億円
(307.21億ドル)
(05.12)
複合企業
ユナイテッド・テクノロジーズ(米)
UNITED TECHNOLOGIES
売上高 4兆9133億円
(427.25億ドル)
(05.12)
グループ
航空機エンジン
プラット&ウィットニー
エレベーター
オーチス
空調
キャリア
合弁事業
東芝
レイセオン(米)
RAYTHEON
売上高 2兆5178億円
(218.94億ドル)
(05.12)

日産自動車の航空宇宙事業を買収するなどしている**石川島播磨重工業**と多連装ロケットシステムで提携している。

**ユナイテッド・テクノロジーズ**（米）は、エレベーターで世界一のオーチスや、空調で世界一のキャリアが有名だが航空機エンジンも手がけている。キャリアは**東芝**と合弁会社を展開。

発明王エジソンが創業したGE（米）の存在も抜きにできない。GEはテレビ・映画関連のNBCユニバーサルを傘下に収めているほか、医療機器や電力システム、金融としての存在が有名。日本ではレイクなどの消費者金融を展開。米AIGグループに売却したが、GEエジソン生命（旧東邦生命）も経営していた。

それに加えて、航空エンジンも手がける。民間航空機では短距離用から長距離用まで使われており、軍用エンジンは戦闘機、爆撃機、給油機、ヘリコプター、偵察機などほぼ全分野にわたって供給。この航空エンジン事業ではユナイテッド・テクノロジーズ（米）と合弁事業をおこなっている。

ボーイング787型にはロールス・ロイス（英）とGEのエンジンが搭載される予定。GE陣営には川崎重工、ロールス・ロイス陣営には石川島播磨が加わっている。

## 宇宙・防衛③

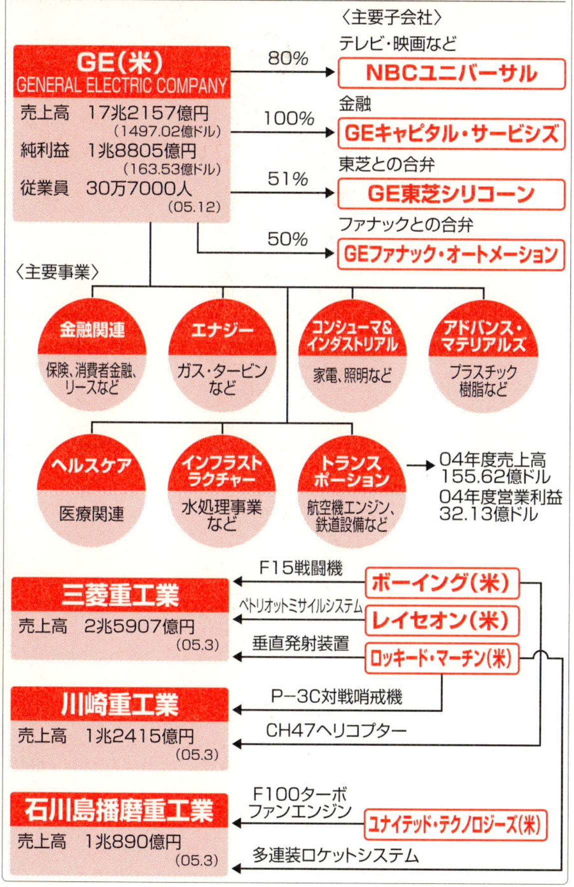
〈主要子会社〉
GE(米)
GENERAL ELECTRIC COMPANY
売上高　17兆2157億円
(1497.02億ドル)
純利益　1兆8805億円
(163.53億ドル)
従業員　30万7000人
(05.12)
80%
テレビ・映画など
NBCユニバーサル
100%
金融
GEキャピタル・サービシズ
51%
東芝との合弁
GE東芝シリコーン
50%
ファナックとの合弁
GEファナック・オートメーション
〈主要事業〉
金融関連
保険、消費者金融、リースなど
エナジー
ガス・タービンなど
コンシューマ&インダストリアル
家電、照明など
アドバンス・マテリアルズ
プラスチック樹脂など
ヘルスケア
医療関連
インフラストラクチャー
水処理事業など
トランスポーション
航空機エンジン、鉄道設備など
04年度売上高
155.62億ドル
04年度営業利益
32.13億ドル
三菱重工業
売上高　2兆5907億円
(05.3)
F15戦闘機
ボーイング(米)
ペトリオットミサイルシステム
レイセオン(米)
垂直発射装置
ロッキード・マーチン(米)
川崎重工業
売上高　1兆2415億円
(05.3)
P−3C対戦哨戒機
CH47ヘリコプター
石川島播磨重工業
売上高　1兆890億円
(05.3)
F100ターボファンエンジン
ユナイテッド・テクノロジーズ(米)
多連装ロケットシステム

**建設**

## 海外工事の比率が高いのは、ブイグ、ヴァンシなど海外大手建設会社

### ――〝スーパーゼネコン〟大成建設、鹿島、清水建設の課題は？

1990年から96年にかけては80兆円内外だった国内建設投資は年々減少し、05年度は50兆円程度に落ち込み、今後は50兆円を下回るのは確実視されている。ここ10年で、国内建設市場は4割近く減少した計算になる。

ただし、〝スーパーゼネコン〟と呼ばれる**大成建設**や**鹿島**、**清水建設**、**大林組**、**竹中工務店**といった売上高が1兆円を超す国内大手建設会社は、売上高ベースでは世界の大手とも遜色がない。ベスト10にはランクインする。

海外勢と大きく異なるのは国際展開。シンガポールの地下鉄やアラブ首長国の送水管、パキスタンの高速道路、それにトルコの海底トンネル工事などを受注しているように、海外での工事受注に積極的な大成建設でも、05年3月期の海外売上高は1427億円。全売上1兆7079億円の8％程度にしかすぎない。

清水建設と竹中工務店はそれぞれ、シンガポールとタイの空港ターミナル工事などを受注。中堅の**ハザマ**もアフリカのタンザニアで地下水関連の工事を請け負っている。

# 建設①

## ブイグ(仏) BOUYGUES

売上高 3兆2762億円 (234.02億ユーロ)
純利益 1201億円 (8.58億ユーロ)
(04.12)

〈グループ〉
- ブイグテレコム 通信 ↔ 提携 ↔ NTTドコモ
- TFI メディア

## ヴァンシ(仏) VINCI

売上高 2兆7328億円 (195.20億ユーロ)
純利益 1023億円 (7.31億ユーロ)
(04.12)

## ハリバートン(米) HALLIBURTON

売上高 2兆4143億円 (209.94億ドル)
純利益 2711億円 (23.58億ドル)
(05.12)

子会社 → ケロッグブラウン&ルート(米) プラント

一時期経営支援 → 千代田化工建設 プラント

## スカンスカ(スウェーデン) SKANSKA

売上高 1兆8594億円 (132.82億ユーロ)
純利益 585億円 (4.18億ユーロ)
(04.12)

パキスタン高速道路
アラブ首長国送水管

海外工事

## 大成建設

売上高 1兆7079億円
純利益 190億円
(05.3)

## 鹿島

売上高 1兆6873億円
純利益 132億円
(05.3)

また、大林組は05年に子会社を通して米ノースカロライナ州の建設会社ＪＳクラークを買収。そのほか、中国に現地法人を設立して展開している会社もあるが、日本の大手建設会社の海外展開はこれからといったところだ。

大手建設会社よりは石油・ガス施設などを手がけるプラント会社の方がはるかに海外展開は進んでいる。売上高が４３５１億円の**日揮**、２６７６億円の**千代田化工建設**（いずれも05年3月期）といった大手プラント会社の海外売上高比率は7割弱である。

その千代田化工建設に一時期出資、役員を派遣していたのが、米大手エンジニアリングのＫＢＲ（ケロッグブラウン&ルート）。世界トップクラスの建設会社、**ハリバートン**（米）の子会社だ。

ハリバートンとトップを競うのは、フランスの**ブイグ**と**ヴァンシ**。ブイグはＮＴＴドコモとｉモードで提携しているブイグテレコムもグループに収めているように、通信・メディア事業も展開。積極的なＭ&Ａ（企業の合併・買収）を展開してきたスウェーデンが本拠の**スカンスカ**や、ドイツの**ホッホティーフ**は米国市場にも大きく食い込んでいる。サハリンの石油パイプラインなどを手がけているのが米**ベクテル**。米**センテックス**は住宅建設大手である。

# 建設②

## ホッホティーフ（独）
HOCHTIEF

売上高　1兆6721億円
（119.44億ユーロ）
純利益　57億円
（0.41億ユーロ）
（04.12）

## ACS（スペイン）
ACS

売上高　1兆5345億円
（109.61億ユーロ）
純利益　6445億円
（46.04億ユーロ）
（04.12）

## JSクラーク（米）
米建設会社

ACS → JSクラーク（米）：05年11月買収

## 清水建設

売上高　1兆4843億円
純利益　204億円
（05.3）

## 大林組

売上高　1兆4046億円
純利益　250億円
（05.3）

清水建設 → 海外工事：シンガポール・チャンギ空港ターミナル、マレーシア下水道処理施設

## ベクテル（米）
BECHTEL

私企業のため
売上高など非公開

## 竹中工務店

売上高　1兆1927億円
純利益　157億円
（05.3）

竹中工務店 → 海外工事：タイ第二バンコク国際空港ターミナル

住宅世界大手

## センテックス（米）
CENTEX

売上高　1兆4789億円
（128.60億ドル）
純利益　1162億円
（10.11億ドル）
（05.3）

## ロイヤルBAMグループ（オランダ）
KONINKLIJKE BAM

売上高　1兆455億円
（74.68億ユーロ）
純利益　78億円
（0.56億ユーロ）
（04.12）

## 中国の主要企業の実状は？

コンピュータの巨人、米ＩＢＭのパソコン事業を買収したレノヴォや英ＭＧローバーを傘下に収めた上海汽車、実現はしなかったが米石油大手ユノカルに対して買収をもちかけた中国海洋石油など世界的に活躍、知名度をアップさせている中国企業も目立つようになってきた。

ただし、中国企業の場合、会社名を耳にすることが多くなったとはいえ、発足の経緯や株主関係、あるいは取締役の構成員やその報酬といった細かい点についてはなかなか伝わってこないのが実情。中国を代表するチャイナ・テレコム、エア・チャイナ、それに大手金融機関を例にとってそれらについてみてみよう。

中国最大の電話会社、チャイナ・テレコムは２００１年に国有企業の中国電信グループが分割する形でスタート。現在もその国有会社が大株主である。日本のＮＴＴにしても１９８５年の民営化後、政府保有の株式売却が順次進められてきたが、依然として筆頭株主は国（財務大臣）。まだ４割も所有する。それと同じ構図だといっていいだろう。

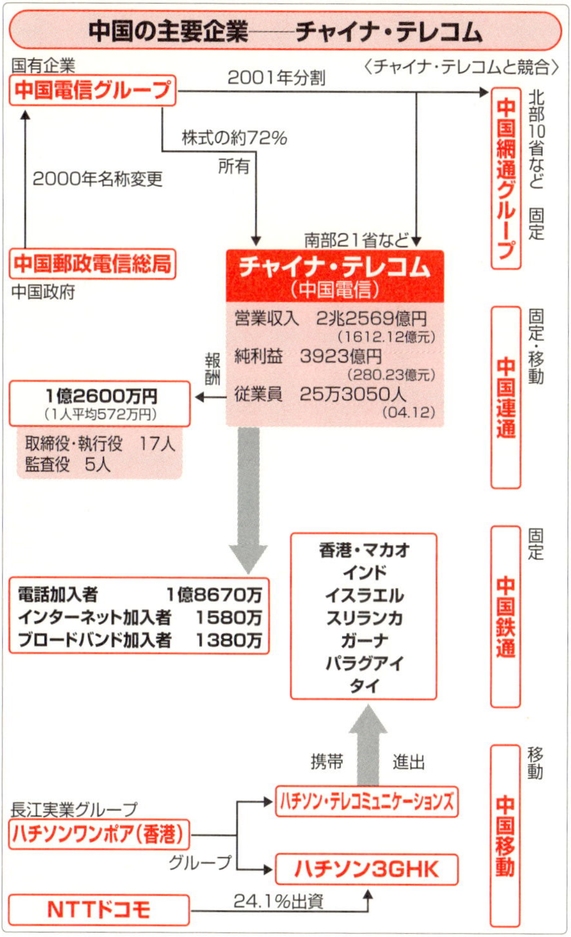
中国の主要企業――チャイナ・テレコム
国有企業
中国電信グループ
2001年分割
〈チャイナ・テレコムと競合〉
株式の約72%
所有
2000年名称変更
中国郵政電信総局
中国政府
南部21省など
チャイナ・テレコム
（中国電信）
営業収入　2兆2569億円
（1612.12億元）
純利益　3923億円
（280.23億元）
従業員　25万3050人
（04.12）
報酬
1億2600万円
（1人平均572万円）
取締役・執行役　17人
監査役　5人
中国網通グループ
北部10省など　固定
中国連通
固定・移動
中国鉄通
固定
中国移動
移動
電話加入者　1億8670万
インターネット加入者　1580万
ブロードバンド加入者　1380万
香港・マカオ
インド
イスラエル
スリランカ
ガーナ
パラグアイ
タイ
携帯　進出
長江実業グループ
ハチソンワンポア（香港）
グループ
ハチソン・テレコミュニケーションズ
ハチソン3GHK
NTTドコモ
24.1%出資

中国には香港が拠点のコングロマリット（複合企業）、長江実業グループが存在し、その傘下携帯電話会社がインドやイスラエル、さらにはガーナ、パラグアイなどにも進出していて驚かされるが、チャイナ・テレコムの場合も、電話加入者1億8670万はもとより、ブロードバンドを含めインターネットサービス加入者の多さが目につく。

そのチャイナ・テレコムの経営陣17人と監査役5人を含めた1人当たり平均年収は520万円。中国国内で最も所得が高いとされる上海の平均年収は50万円強。全国の都市部平均は14万円程度ともいわれ、それと比較するとかなりの高収入だ。

全日本空輸に比べて売上高はともかく、純利益では上回っているエア・チャイナ。中国を代表する航空会社だ。そのエア・チャイナの株主には、ライバルともいうべきキャセイ・パシフィックも名を連ねているが、やはりこちらも国有企業が大株主。そのため、エア・チャイナの取締役の大半は国有企業関係者。プロパーはたったの3人である。日本でいうところの〝天下り〟という構図のようだ。

金融関係では、前述の長江実業グループや世界大手の保険会社ＡＩＧ（米）が株主になっているのが目につく。

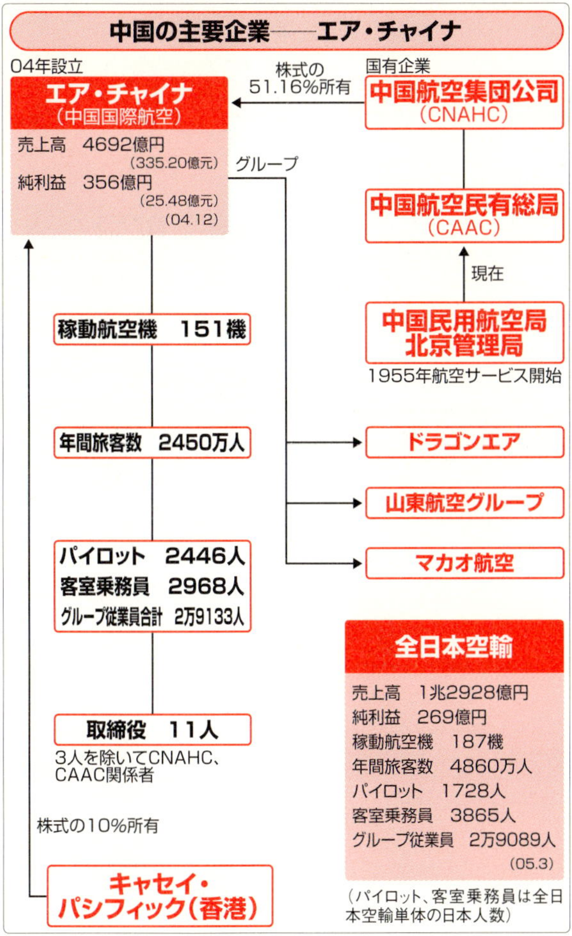
中国の主要企業――エア・チャイナ
04年設立
エア・チャイナ
（中国国際航空）
売上高　4692億円
（335.20億元）
純利益　356億円
（25.48億元）
（04.12）
株式の
51.16%所有
国有企業
中国航空集団公司
（CNAHC）
グループ
中国航空民有総局
（CAAC）
現在
中国民用航空局
北京管理局
1955年航空サービス開始
稼動航空機　151機
年間旅客数　2450万人
ドラゴンエア
山東航空グループ
パイロット　2446人
客室乗務員　2968人
グループ従業員合計　2万9133人
マカオ航空
全日本空輸
売上高　1兆2928億円
純利益　269億円
稼動航空機　187機
年間旅客数　4860万人
パイロット　1728人
客室乗務員　3865人
グループ従業員　2万9089人
（05.3）
（パイロット、客室乗務員は全日本空輸単体の日本人数）
取締役　11人
3人を除いてCNAHC、CAAC関係者
株式の10%所有
キャセイ・
パシフィック（香港）

## 中国の主要企業――金融関連

中国生保最大手

03年設立

**チャイナ・ライフ・インシュアランス**
（中国人寿保険）

総収入保険料　9275億円
（662.57億元）
純利益　1003億円
（71.71億元）
総資産　6兆0713億円
（4336.71億元）
ソルベンシー比率　315%
（04.12）

出資 ← 財閥 **長江実業グループ**

**従業員　約7万5000人**

**個人代理人　66万8000人**（9300拠点）

中国損保最大手

03年設立

**PICC財産保険**
（中国人民財産保険）

総収入保険料　8680億円
（620.03億元）
純利益　29億円
（2.08億元）
総資産　1兆2356億円
（882.62億元）
（04.12）

9.9% 出資 ← 世界大手保険グループ **AIG（米）**

69% 出資 ← 中国政府完全所有 **PICCホールディング**

**従業員　6万2862人**

中国最大手銀行

1912年設立

**中国銀行**
（バンク・オブ・チャイナ）

国内支店　1万1307
海外支店　603
（04.12）

子会社 →

**バンク・オブ・チャイナ香港**
（BOC香港）

純利益　1818億円
（121.21香港ドル）
総資産　11兆9516億円
（7967.76香港ドル）
従業員　1万2976人
店舗　283（香港内）
（04.12）

# PART 5

# 素材・製造関連

## M&Aと技術力の差

**鉄鋼**

# 売上高でティッセン、鉄鋼生産量でミタルが世界一

## ――新日鉄、JFEは売上高、鉄鋼生産量とも世界3位、4位と健闘

**新日本製鉄**と**住友金属工業**、それに**神戸製鋼所**の3社は相互に資本提携し、新日鉄を中心としたグループを結成している。川崎製鉄とNKKが統合して誕生したのが**JFEホールディングス**だ。このように日本の鉄鋼業界は再編を経て、新日鉄グループとJFEの〝2強〟体制に移ってきた。

だが、世界に目を転じれば、日本以上にM&A（企業の合併・買収）による再編が進んでいる。その象徴が、カナダの鉄鋼大手である**ドファスコ**を巡っての買収合戦。一時は**ティッセン・クルップ**（独）の買収で決着かと思われたところに**アルセロール**（ルクセンブルク）が参戦し、06年1月、アルセロールに軍配があがった。そうしたところに、**ミタル・スチール**（オランダ）が市場寡占を目指して、アルセロールに3兆円弱の敵対的買収をかけ、にらみあいが続いている（アルセロールは拒否）。

鉄鋼業界の指標のひとつが粗鋼生産量。このところ急激な伸びを示していて、世界の粗鋼生産量は10億トン（05年、日本は1億1248万トン）を超えているが、その

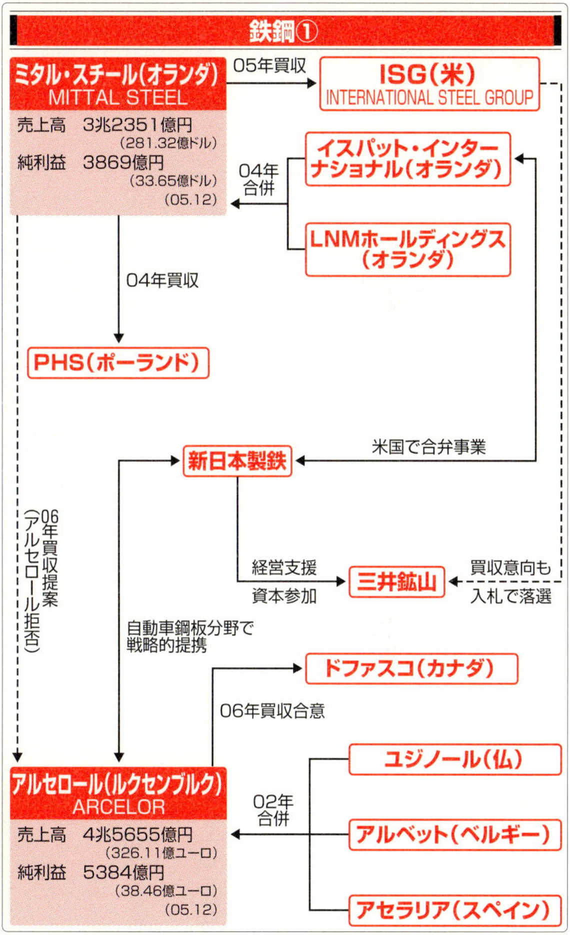
鉄鋼①
ミタル・スチール(オランダ)
MITTAL STEEL
売上高　3兆2351億円
(281.32億ドル)
純利益　3869億円
(33.65億ドル)
(05.12)
05年買収
ISG(米)
INTERNATIONAL STEEL GROUP
イスパット・インターナショナル(オランダ)
04年合併
LNMホールディングス(オランダ)
04年買収
PHS(ポーランド)
米国で合弁事業
新日本製鉄
06年買収提案(アルセロール拒否)
経営支援
資本参加
三井鉱山
買収意向も
入札で落選
自動車鋼板分野で
戦略的提携
ドファスコ(カナダ)
06年買収合意
ユジノール(仏)
02年合併
アルベット(ベルギー)
アセラリア(スペイン)
アルセロール(ルクセンブルク)
ARCELOR
売上高　4兆5655億円
(326.11億ユーロ)
純利益　5384億円
(38.46億ユーロ)
(05.12)

シェア獲得を目的に、規模の拡大を図るべく世界の大手が競っているという構図だ。現在、売上高ベースでは、カナダの鉄鋼会社買収で競ったティッセンとアルセロールが1位と2位。3位新日鉄、4位JFEと日本勢が続く（04年決算ベース。ミタルは05年12月期売上増）。ティッセンは、鉄鋼のほかにエレベーターや自動車関連事業も展開している。

一方、粗鋼生産量ベースで1位はミタル・スチール、2位がアルセロール。新日鉄とJFEは粗鋼生産量でも世界3位、4位である。

粗鋼生産量世界一のミタル・スチールはインド人の富豪ラクシュミ・ミタル氏が率いるグループだが、それはM&Aの歴史といっても過言ではない。

アジアで出発し、その後オランダに本拠を移転。イスパット・インターナショナルとLNMホールディングスの両グループを傘下に従え、南アフリカやカザフスタン、ポーランドなどの鉄鋼会社を次々に買収して規模を拡大してきた。04年にはイスパットとLNMを合併させ、05年、アメリカの鉄鋼大手**ISG**を買収することで世界一になった。その後もウクライナなどで買収を進めるなど、拡大路線を継続している。ちなみに、米ISGは産業再生機構入りで経営再建を進めていた三井鉱山の支援企業選

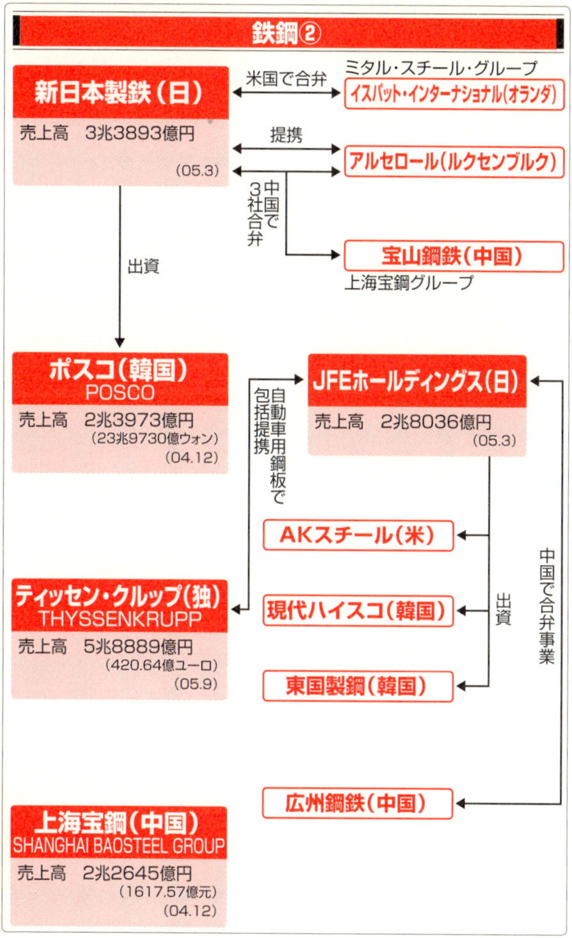
鉄鋼②
新日本製鉄（日）
売上高 3兆3893億円
(05.3)
米国で合弁
ミタル・スチール・グループ
イスパット・インターナショナル（オランダ）
提携
アルセロール（ルクセンブルク）
中国で3社合弁
宝山鋼鉄（中国）
上海宝鋼グループ
出資
ポスコ（韓国）
POSCO
売上高 2兆3973億円
(23兆9730億ウォン)
(04.12)
自動車用鋼板で包括提携
JFEホールディングス（日）
売上高 2兆8036億円
(05.3)
AKスチール（米）
現代ハイスコ（韓国）
東国製鋼（韓国）
出資
中国で合弁事業
ティッセン・クルップ（独）
THYSSENKRUPP
売上高 5兆8889億円
(420.64億ユーロ)
(05.9)
広州鋼鉄（中国）
上海宝鋼（中国）
SHANGHAI BAOSTEEL GROUP
売上高 2兆2645億円
(1617.57億元)
(04.12)

定入札に参加したが、新日鉄・住友商事連合に敗れている。
粗鋼生産世界2位のアルセロールも02年、欧州の3社が合併して誕生した会社。

鉄鋼業界では、韓国や中国勢の伸びが目立つのも特徴。新日鉄も資本参加している韓国の**ポスコ**は日本の株式市場にも上場。新日鉄、アルセロールと3社合弁で、中国に自動車鋼板合弁会社を設立した宝山鋼鉄は、中国最大の鉄鋼会社、**上海宝鋼**の一員。
さて、新日鉄やＪＦＥの日本勢だが、国際的なＭ＆Ａからは一歩距離を置いているというのが現状だ。とくに、鉄鋼会社の象徴ともいうべき、鉄鉱石と石炭（コークス）を燃やす高さ１００ｍ以上の「高炉」の建設には消極的姿勢。ＪＦＥは**広州鋼鉄**（中国）と合弁で中国に高炉を建設することを視野に入れていたが計画は停滞している。
それにひきかえ、韓国のポスコは、１２０億ドルを投じてインドに製鉄所を建設することを発表、１兆円を上回る投資だ。同じく韓国の現代自動車は、粗鋼一貫生産のための高炉の建設に着手した。完成すれば、鉄鋼でも世界有数の地位を占める自動車メーカーになる。競合が少ない自動車や造船向けの高級鋼材などを手がけていることもあって経営は順調に推移している日本勢だが、現在の世界的ポジションを確保維持し続けるためには、新たな戦略が不可欠なことだけは確実のようだ。

## 鉄鋼③

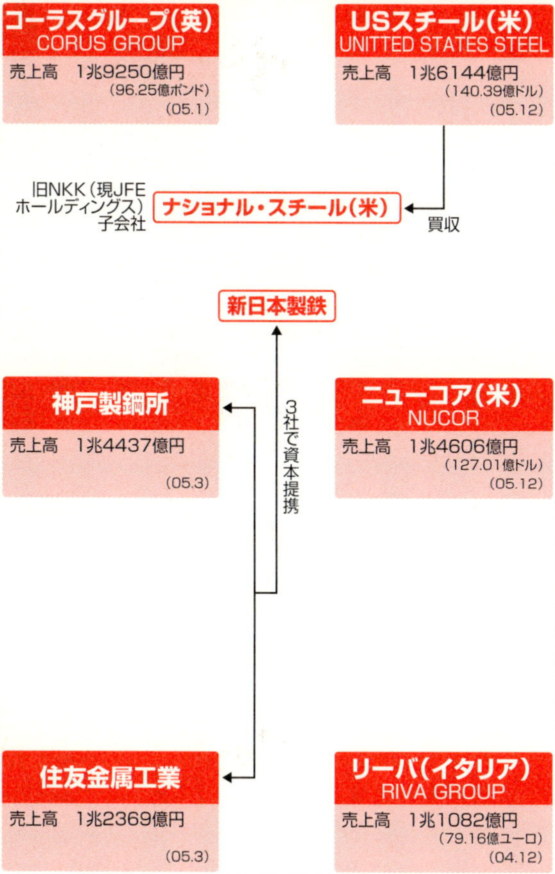
コーラスグループ(英)
CORUS GROUP
売上高　1兆9250億円
(96.25億ポンド)
(05.1)
USスチール(米)
UNITTED STATES STEEL
売上高　1兆6144億円
(140.39億ドル)
(05.12)
旧NKK(現JFEホールディングス)子会社
ナショナル・スチール(米)
買収
新日本製鉄
3社で資本提携
神戸製鋼所
売上高　1兆4437億円
(05.3)
ニューコア(米)
NUCOR
売上高　1兆4606億円
(127.01億ドル)
(05.12)
住友金属工業
売上高　1兆2369億円
(05.3)
リーバ(イタリア)
RIVA GROUP
売上高　1兆1082億円
(79.16億ユーロ)
(04.12)

## 紙・パルプ

### 企業別世界トップは米インターナショナルペーパー
### ——日本の〝2強〟は王子製紙と日本製紙グループ本社

日本は１人当たりの消費量が世界4位（紙・板紙）、生産量（紙・パルプ）は、アメリカ、中国に次ぐ世界3位だ。その紙・パルプ業界の世界トップは米**インターナショナルペーパー**（ＩＰ）。工業用や雑誌用などが中心のため日本では知名度は低いが、**王子製紙**と**日本製紙グループ本社**という日本の〝2強〟の合計売上高を上回る。海運の日本郵船とはブラジルから米国までの木材チップ長期連続航海契約を締結している。

そのＩＰを含めた米5社、北欧勢3社、それに日本の2社でベスト10を形成。米**キンバリー・クラーク**は世界で最初にティッシュペーパーを開発した会社で、日本製紙グループ本社の「クリネックス」はキンバリーのブランドである。**プロクター＆ギャンブル**（米）はヘアケアの「ウエラ」ブランドが有名だが、おむつの「パンパース」やティッシュ、トイレットペーパーなどを手がけていることからランクインしている。

なお、王子製紙は05年に欧州のインクジェット用紙会社を買収している。

流通・ブランド・運輸関連
情報・通信・サービス関連
金融関連
エネルギー・食品飲料・宇宙防衛・建設関連
素材・製造関連

## 紙・パルプ

**インターナショナルペーパー(米)**
INTERNATIONAL PAPER
売上高　2兆7711億円
(240.97億ドル)
(05.12)

↔ 木材チップ輸送契約 — **日本郵船**

**ストラエンソ(フィンランド)**
STORA ENSO
売上高　1兆8463億円
(131.88億ユーロ)
(05.12)

**ウェアハウザー(米)**
WEYERHAEUSER
売上高　2兆6023億円
(226.29億ドル)
(05.12)

**SCA(スウェーデン)**
SVENSKA CELLULOSA AKTIEBOLAGET
売上高　1兆4553億円
(103.95億ユーロ)
(05.12)

**ジョージア・パシフィック(米)**
GEORGIA-PACIFIC
売上高　2兆2604億円
(196.56億ドル)
(05.1)

**キンバリー・クラーク(米)**
KIMBERLY-CLARK
売上高　1兆8288億円
(159.03億ドル)
(05.12)

→ 「クリネックス」「スコッティ」ブランド →

**日本製紙グループ本社**
NIPPON PAPER GROUP
売上高　1兆1796億円
(05.3)

**UPMキュンメネ(フィンランド)**
UPM KYMMENE
売上高　1兆3087億円
(93.48億ユーロ)
(04.12)

**王子製紙**
OJI PAPER
売上高　1兆1851億円
(05.3)

→ 05年買収 → **イルフォード・スイス**　インクジェット用紙

**プロクター&ギャンブル(米)**
P&G
PROCTER&GAMBLE
売上高　6兆5252億円
(567.41億ドル)
(05.6)

## ガラス・セメント

### 板ガラス世界トップの旭硝子、液晶用首位のコーニングを追走
#### ——日本板硝子の買収提案を英ピルキントンは拒絶！

ガラスでは**サンゴバン**（仏）や**旭硝子**、セメントでは**ラファージュ**（仏）や**ホルシム**（スイス）、**セメックス**（メキシコ）といったところが世界1位、2位を競っている。アイルランドの**CRH**は総合建材メーカーである。

ただし、ガラス業界では板ガラス分野と液晶用ガラスではライバル関係が異なる。板ガラスでは「サンゴバンと**セントラル硝子**」「**日本板硝子**と**ピルキントン**（英）」が連合を組み、トップの旭硝子を追う構造になっている。米**ガーディアン**が世界4位。それに対して、液晶用ガラス世界トップは米**コーニング**。2位が旭硝子となっている。05年に日本板硝子は英ピルキントンに対して買収提案をおこない、当初は拒絶にあったが、06年2月に総額6160億円での買収合意が成立した。

海外展開も含め国内勢が健闘しているガラスと異なり、セメント業界は、国内勢と海外勢の格差は大きい。海外展開でも後れをとっている。セメント世界一の**ラファージュ**は麻生グループと**麻生ラファージュセメント**を展開している。

## ガラス・セメント

板ガラス、容器、建築用製品
**サンゴバン（仏）**
SAINT GOBAIN
売上高　4兆4835億円
（320.25億ユーロ）
（04.12）

35%出資 → ガラス
**セントラル・サンゴバン**

65%出資 ↑
**セントラル硝子**

**麻生ラファージュセメント**
↑ 麻生グループに出資

セメント
**ラファージュ（仏）**
LAFARGE
売上高　2兆210億円
（144.36億ユーロ）
（04.12）

ガラス
**旭硝子**
ASAHI GLASS
売上高　1兆4757億円
（05.3）

セメント
**ホルシム（スイス）**
HOLCIM
売上高　1兆1893億円
（132.15億スイスフラン）
（04.12）

**日本板硝子**
20%出資 →
買収合意

ガラス
**ピルキントン（英）**
PILKINGTON
売上高　5388億円
（26.94億ポンド）
（05.3）

セメント
**セメックス（メキシコ）**
CEMEX
売上高　1兆7619億円
（153.21億ドル）
（05.12）

ガラス
**ガーディアン（米）**
GUARDIAN
売上高　——

セメント
**ハイデルベルク（ドイツ）**
HEIDELBERG
売上高　9700億円
（69.29億ユーロ）
（04.12）

ガラス
**コーニング（米）**
CORNING
売上高　5265億円
（45.79億ドル）
（05.12）

セメント
**太平洋セメント**
TAIHEIYO CEMENT
売上高　8726億円
（05.3）

総合建材素材
**CRH（アイルランド）**
売上高　1兆7857億円
（127.55億ユーロ）
（04.12）

## 化学

# ドイツ勢ＢＡＳＦ、バイエル、米国勢ダウ・ケミカル、デュポンの４大グループ

## ――日本勢では、三菱化学が世界５位クラス

原油を精製してできるナフサを原材料とする石油化学が中心の化学業界。製造する各種素材の出荷先は全産業に及んでいるといっても過言ではない。その化学世界大手は、ドイツ勢の**ＢＡＳＦ**と**バイエル**、米国勢の**ダウ・ケミカル**と**デュポン**の４グループだ。

オランダの**アクゾノーベル**とドイツの**デグサ**も世界大手。日本勢では、医薬の三菱ウェルファーマと05年10月に共同で持株会社を設立しその傘下に入っている**三菱化学**が世界５位クラス。**旭化成**、**住友化学**、**三井化学**も売上高10位〜15位にランクインする。

ただし、化学各社の事業分野は医薬や農薬など幅広いが、日本勢を含めて各社とも事業の選択と集中を進める姿勢をさらに強めているといっていいだろう。

たとえば、バイエルは03年以降、医薬品と農薬事業に集中。化学品事業の大半は分社化したランクセスが担当するにいたっている。ＢＡＳＦやバイエルとともにドイツ

## 世界の化学大手

**BASF(独)**
売上高 5兆2551億円 (375.37億ユーロ)
従業員 約8万2000人 (04.12)

合弁事業 ― **中国石油化工(シノペック)** 中国石油大手

プロピレンオキサイド生産関連で共同開発 ― **ダウ・ケミカル(米)**

**住友化学** → 有機EL材料事業を買収 → ダウ・ケミカル(米)

医薬・農薬に集中
**バイエル(独) BAYER**
売上高 4兆1661億円 (297.58億ユーロ)
従業員 11万3000人 (04.12)

05年化学部門分離・独立 → **ランクセス**

**ダウ・ケミカル(米) DOW CHEMICAL**
売上高 5兆3253億円 (463.07億ドル)
従業員 4万2000人 (05.12)

01年完全子会社化 → **ユニオン・カーバイド(米)**

エラストマー(ゴム)事業合弁 ― デュポン(米)

**デュポン(米) DUPONT**
売上高 3兆634億円 (266.39億ドル)
従業員 6万人 (05.12)

01年売却 → **医薬品事業**
04年売却 → **繊維事業**

持株会社
**三菱ケミカルホールディングス**
子会社 → 三菱化学

**三菱化学**
売上高 2兆1894億円
従業員 3万3261人 (05.3)

**アクゾノーベル(オランダ) AKZO NOBEL**
売上高 1兆8200億円 (130.00億ユーロ)
従業員 6万1340人 (05.12)

**デグサ(独) DEGUSSA**
売上高 1兆5741億円 (112.44億ユーロ)
従業員 4万4566人 (04.12)

---

**旭化成**
売上高 1兆3776億円
従業員 2万3820人 (05.3)

**住友化学**
売上高 1兆2963億円
従業員 2万195人 (05.3)

**三井化学**
売上高 1兆2275億円
従業員 1万2228人 (05.3)

の3大化学メーカーと呼ばれていたヘキストは、仏ローヌ・プーランと合併してアベンティスとなり、現在は、サノフィ・アベンティス（フランス）として医薬世界大手になった例があるだけに、バイエルの今後の動きからは目を離せない。なお、バイエルはアベンティスから農薬関連会社を買収している。

バイエルとは対照的に医薬事業から手を引いたのがデュポン。黒色火薬の製造を目的に1802年に設立されたデュポンはその後、総合化学メーカーとして確固たる地位を築いてきたが、01年に医薬品事業をブリストル・マイヤーズスクイブ（米）に売却。04年には約38億ドルで繊維関連（テキスタル・インテリア事業）も手放している。現在、事業の中心は「情報技術部門」「高機能材料部門」「塗料・色材技術部門」「安全・防護部門」「農業・食品部門」の5つである。

事業の選択と集中は日本勢も同じことで、ここにきてデジタル関連の素材にシフトする例が目立ち、三菱化学は光ディスク、住友化学と三井化学は液晶ディスプレイ用のフィルターで世界トップクラスのシェアを確保している。

また、世界大手の化学会社はそれぞれが長い歴史を有しているだけに、日本にも早くから進出し、事業を展開してきたことはいうまでもない。日本勢との合弁事業も目

## 世界化学大手と日本勢の提携

- BASF武田ビタミン ←66%― BASF ―67%→ BASF出光
- 武田薬品工業 ―34% 06年1月売却→ BASF武田ビタミン
- BASF出光 ←33%― 出光石油化学
- BASF ―45%→ 日曹BASFアグロ
- 三井物産 ―10%→ 日曹BASFアグロ ←45%― 日本曹達

- 住化バイエルウレタン ←60%― バイエル ―50%→ 帝人バイエルポリティック
- 住友化学 ―40%→ 住化バイエルウレタン
- 帝人バイエルポリティック ←50%― 帝人
- バイエル ―50%→ DICバイエルポリマー
- DICバイエルポリマー ―50%→ 大日本インキ化学

- 三井化学
- 大日本インキ化学 ―49.9%→ 帝人デュポンフィルム ←50.1%― 帝人
- 三井・デュポンポリケミカル ←50%― デュポン ―50%→ デュポン帝人アドバンスドペーパー ←50%―
- 50% 三井・デュポンポリケミカル
- 三井・デュポンフロロケミカル ←50%― デュポン
- 50% 三井・デュポンフロロケミカル
- デュポン ―50%→ 東レ・デュポン ―50%→ 旭・デュポンフラッシュスパンプロダクツ
- 東レ ―50%→ 東レ・デュポン
- 旭化成 ―50%→ 旭・デュポンフラッシュスパンプロダクツ
- MRC・デュポン ←55%― 東レ
- 三菱レイヨン ―45%→ MRC・デュポン

- ライオン ―50%→ ライオン・アクゾ
- アクゾノーベル ―50%→ ライオン・アクゾ
- DSL.ジャパン ←51%― デグサ ―50%→ ダイセル・デグサ
- 塩野義製薬 ―49%→ DSL.ジャパン
- ダイセル化学工業 ―50%→ ダイセル・デグサ

（％は出資比率）

169

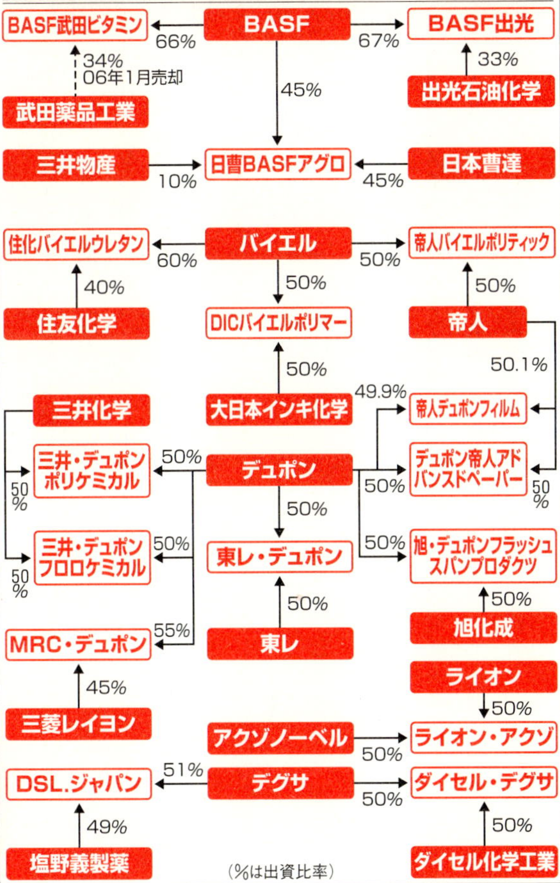

立つ。

昭和初期には長瀬商店（現長瀬産業）を総代理店としていた歴史を持つデュポンは、三井化学、三菱レイヨン、東レ、帝人、旭化成とそれぞれ共同で会社を設立している。バイエルは住友化学や帝人と組む。

アクゾノーベルはライオン、デグサは塩野義製薬及びダイセル化学工業と合弁事業を展開している。なお、ＢＡＳＦとビタミン関連事業でＢＡＳＦ武田ビタミン（ＢＴＶ）を運営していた武田薬品工業は、所有していたＢＴＶ株をＢＡＳＦに売却し合弁を解消している。

化学業界における現在の注目は、中国市場での主導権争い。ＢＡＳＦは中国石油最大手のシノペックと合弁で化学プラントを建設、すでにエチレンなどの生産に着手している。シノペックとは三井化学も高機能樹脂原料の生産で手を組んでいる。

なお、**台湾プラスチックグループ**、銀行や百貨店、情報通信関連もグループに抱える**ハンファグループ**（韓国）や**ＳＡＢＩＣ**（サウジアラビア）も世界化学大手の仲間入り。そのＳＡＢＩＣから、日本のプラント大手の一角、東洋エンジニアリングは新たなプラント建設を受注している。

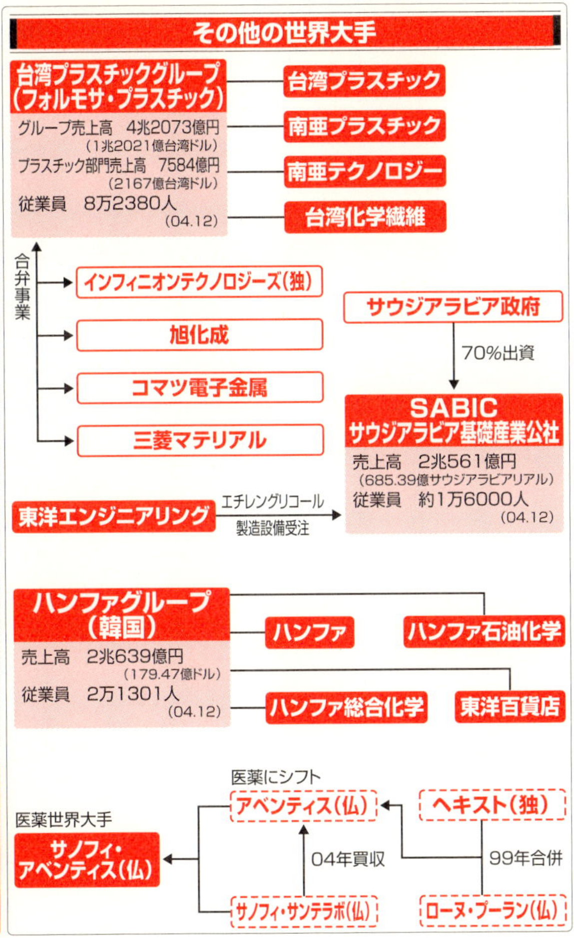
その他の世界大手
台湾プラスチックグループ(フォルモサ・プラスチック)
グループ売上高　4兆2073億円
(1兆2021億台湾ドル)
プラスチック部門売上高　7584億円
(2167億台湾ドル)
従業員　8万2380人
(04.12)
台湾プラスチック
南亜プラスチック
南亜テクノロジー
台湾化学繊維
合弁事業
インフィニオンテクノロジーズ(独)
旭化成
コマツ電子金属
三菱マテリアル
サウジアラビア政府
70%出資
SABIC
サウジアラビア基礎産業公社
売上高　2兆561億円
(685.39億サウジアラビアリアル)
従業員　約1万6000人
(04.12)
東洋エンジニアリング
エチレングリコール
製造設備受注
ハンファグループ(韓国)
売上高　2兆639億円
(179.47億ドル)
従業員　2万1301人
(04.12)
ハンファ
ハンファ石油化学
ハンファ総合化学
東洋百貨店
医薬にシフト
医薬世界大手
サノフィ・アベンティス(仏)
アベンティス(仏)
ヘキスト(独)
04年買収
99年合併
サノフィ・サンテラボ(仏)
ローヌ・プーラン(仏)

## 医薬品

# 世界最大の医薬品会社、米ファイザーは売上6兆円に迫る！

## ——日本国内トップの武田は、世界ランク15位前後

05年4月に山之内製薬と藤沢薬品工業が合併して**アステラス製薬**が誕生。同年の9月には三共と第一製薬も共同の持株会社である**第一三共**を設立し、07年4月までに完全に統合する予定である。これら統合組2グループと、**武田薬品工業**とで〝3強〟というのが国内の構図だ。

ただし、国内勢トップに立つ武田にしても世界ランクは15位前後。M&A（企業の合併・買収）を繰り返している欧米の大手製薬会社の規模は巨大だ。**万有製薬**は**メルク**（米）、**中外製薬**は**ロシュ**（スイス）、それに**エスエス製薬**は**ベーリンガーインゲルハイム**（ドイツ）と、それぞれに海外勢の傘下に入っている。

世界最大の医薬品会社は米**ファイザー**。年間売上1兆円超（04年度108億ドル）と世界で最も売れているとされるリピトール（高脂血症治療薬）をはじめ、ノルバスク（高血圧症治療薬）やバイアグラ（勃起不全治療薬）などを手がけ、全体の年間売上規模は6兆円に迫る。投入する研究開発費も武田、第一三共、アステラスの3社合

## 医薬品①

### ファイザー(米)
PFIZER

売上高　5兆8992億円
(512.98億ドル)
純利益　9297億円
(80.85億ドル)
研究開発費　8558億円
(74.42億ドル)
(05.12)

リピトール(高脂血症治療薬)
ノルバスク(高血圧症治療薬)
バイアグラ(勃起不全治療薬)
バイシン(目薬)
リステリン(口腔洗浄液)

↔ エーザイ
アルツハイマー治療薬「アリセプト」で販売提携

00年合併：ワーナーランバート(米)
03年合併：ファルマシア(米)

### ジョンソン&ジョンソン(米)
JOHNSON & JOHNSON

売上高　5兆8091億円
(505.14億ドル)
純利益　1兆1972億円
(104.11億ドル)
研究開発費　7258億円
(63.12億ドル)
(05.12)

バンドエイド
リスパーダル(統合失調症薬)

2001年買収：アルザ(米)
医薬品

03年買収：サイオス(米)
生物薬剤会社

### グラクソスミスクライン(英)
GLAXO SMITHKLINE

売上高　4兆3320億円
(216.60億ポンド)
純利益　9378億円
(46.89億ポンド)
研究開発費　6272億円
(31.36億ポンド)
(05.12)

コンタック(せき止め薬)
ポリデント(入れ歯洗浄剤)

→ 日本法人：グラクソ・スミスクライン
住友化学 → 出資 → グラクソ・スミスクライン

2000年合併：グラクソ・ウエルカム(英)、スミスクライン・ビーチャム(英)

### ノバルティス(スイス)
NOVARTIS

売上高　3兆7043億円
(322.12億ドル)
純利益　7062億円
(61.41億ドル)
研究開発費　5572億円
(48.46億ドル)
(05.12)

ラシミール(抗菌剤)
ディオバン(高血圧症薬)
グリヴェック(骨髄性白血病薬)

1996年合併：サンド(スイス)、チバ・ガイギー(スイス)

計の2倍を上回る。設立は1849年。2000年にワーナーランバート（米）と合併し、03年にはファルマシア（米）を吸収合併している。日本の**エーザイ**が開発したアルツハイマー病の代表的な治療薬「アリセプト」の共同販売も展開。

〝バンドエイド〟で身近な存在の米**ジョンソン&ジョンソン**（J&J）は、医薬品に限れば世界5位クラスだが、総合的な売上ではファイザーに次ぐ。手がける医薬品は赤血球の生成を促す「エポエチアン・アルファ」や統合失調症薬「リスパーダル」をはじめ、抗感染症薬やがん治療薬、経口避妊薬など。J&Jもまたコダック（米）の臨床診断用事業や生物薬剤会社など買収を繰り返している。

英国の2社、グラクソ・ウエルカムとスミスクライン・ビーチャムが合併してできたのが**グラクソスミスクライン**（英）だ。同社の日本法人には住友化学が出資している。住友化学はアストラゼネカ（英）の日本法人にも出資。

スイスの2社が合併して誕生したのが**ノバルティス**（スイス）。05年売上高は322億ドル、純利益も61億ドルといずれも04年を上回った。

万有製薬を完全子会社にしている米メルクも世界大手。高脂血症薬「ゾコール」などが主力薬品である。

# 医薬品②

## サノフィ・アベンティス（仏） SANOFI-AVENTIS

売上高 3兆8235億円（273.11億ユーロ）
純利益 8869億円（63.35億ユーロ）
研究開発費 5661億円（40.44億ユーロ）
（05.12）

クレキサン（抗凝血剤）
アレグラ（アレルギー鼻炎薬）
プラヴィクス（抗血小板剤）

出資 → ロレアル（仏） 化粧品
出資 → トタル（仏） 石油

サノフィ・サンテラボ（仏）
04年買収 → アベンティス（仏）

## メルク（米） MERCK

売上高 2兆6348億円（229.12億ドル）
純利益 5325億円（46.31億ドル）
研究開発費 4425億円（38.48億ドル）
（05.12）

ゾコール（高脂血症薬）
トルソプト（緑内障薬）

04年完全子会社化 → 万有製薬（日）

## ロシュ（スイス） ROCHE

売上高 3兆1959億円（355.11億スイスフラン）
純利益 6057億円（67.30億スイスフラン）
研究開発費 5134億円（57.05億スイスフラン）
（05.12）

ボンドロナト（がん治療薬）
フゼオン（HIV治療薬）
タミフル（インフルエンザ薬）

02年買収 → 中外製薬（日）

## アストラゼネカ（英） ASTRAZENECA

売上高 2兆7542億円（239.50億ドル）
純利益 5432億円（47.24億ドル）
研究開発費 3885億円（33.79億ドル）
（05.12）

ネキシウム（抗腫瘍剤）
セロケン（高血圧治療剤）
カソデックス（前立腺がん治療薬）

日本法人 → アストラゼネカ
住友化学 → 出資 → アストラゼネカ

アストラ（スウェーデン） ＋ ゼネカ（英） → 1999年合併 → アストラゼネカ（英）

中外製薬をグループに擁するロシュ（スイス）は、新型インフルエンザの治療薬の切り札といえる「タミフル」で知られる。スウェーデンのアストラと英ゼネカの合併によるのが**アストラゼネカ**（英）である。ヘキスト（独）とローヌ・プーラン（仏）の合併会社がアベンティス（仏）。そのアベンティスを、04年にサノフィ・サンテラボ（仏）が買収したことで生まれたのが**サノフィ・アベンティス**だ。

このサノフィ・アベンティスの誕生で、欧州の医薬品業界はグラクソスミスクライン、ノバルティス、ロシュ、アストラゼネカの5社体制に突入。米国もファイザーやJ&J、メルク、**ブリストル・マイヤーズスクイブ**、**アボットラボラトリーズ**、**ワイス**、**イーライリリー**などといったところに集約されたといっていい。医薬品業界では、ひとつの薬で10億ドル以上売れる大型ヒット薬（ブロックバスター）が不可欠になっているということが集約化の大きな要因だ。

そうした背景もあり、日本勢にとっても海外での飛躍がカギになっていることはいうまでもない、武田が不眠症治療薬「ロゼレム」を米国に投入するなど、本格的な海外展開の動きを見せている。比較的順調に推移してきた国内勢にとって踏ん張りどころだ。

## 医薬品③

### ブリストル・マイヤーズスクイブ(米)
BRISTOL-MYERS SQUIBB

売上高 2兆2088億円
(192.07億ドル)
純利益 3450億円
(30.00億ドル)
研究開発費 3151億円
(27.40億ドル)
(05.12)

買収 → デュポンの医薬事業

### アボットラボラトリーズ(米)
ABBOTT LABORATORIES

売上高 2兆5688億円
(223.38億ドル)
純利益 3877億円
(33.72億ドル)
研究開発費 2094億円
(18.21億ドル)
(05.12)

03年買収 → 北陸製薬

### ワイス(米)
WYETH

売上高 2兆1569億円
(187.56億ドル)
純利益 4204億円
(36.56億ドル)
研究開発費 3161億円
(27.49億ドル)
(05.12)

70%
(今後、増加予定)
→ ワイス(日本法人)

### イーライリリー(米)
ELI LILLY

売上高 1兆6841億円
(146.45億ドル)
純利益 2277億円
(19.80億ドル)
研究開発費 3473億円
(30.2億ドル)
(05.12)

アメリカで合弁事業
(医薬品の販売)

30%
(今後減少予定)

### 武田薬品工業

売上高 1兆1229億円
純利益 2774億円
研究開発費 1415億円
(05.3)

### 第一三共

売上高 9163億円
純利益 854億円
研究開発費 1451億円
(05.3)

三共
05年9月合併
第一製薬

### アステラス製薬

売上高 8620億円
純利益 595億円
研究開発費 1265億円
(05.3)

山之内製薬
05年4月合併
藤沢薬品工業

(アステラス製薬と
第一三共は、05年
3月期単純合算)

## 化粧品・トイレタリー

### 国際的M&Aを展開する世界大手のP&G、J&J、ユニリーバ……
### ——カネボウを傘下に収めた花王、そして資生堂は？

仏**ロレアル**や日本勢の**コーセー**なども加わったカネボウグループをめぐっての争奪戦は、最終的に花王グループに入ることで決着がついた（05年末）。

それまでも国内トップの座にあった**花王**は**カネボウ化粧品**（日常品・食品・薬品が主力のカネボウは投資ファンド傘下）をグループ化することで、日本勢の他社にさらに差をつけることになる。とくに売上の7割以上はトイレタリー関連で、「ソフィーナ」ブランド程度と弱点だった化粧品部門も**資生堂**に肉薄する。

カネボウは、経営難から化粧品事業で花王との統合を発表（03年）したものの白紙撤回、その後、産業再生機構による支援を受けていた経緯がある。

花王以外の国内勢大手は資生堂や**ライオン**、**ユニ・チャーム**など。ライオンは中外製薬の大衆薬事業を買収したほか、韓国のＪＣの生活化学品事業を買収するなど、アジアでの日用品事業の強化をめざしており、ユニ・チャームはペット用のトイレタリーを扱う子会社を上場させている。

## 化粧品・トイレタリー①

**プロクター&ギャンブル(米)**
P&G
PROCTER & GAMBLE
売上高　6兆5252億円
(567.41億ドル)
純利益　7961億円
(69.23億ドル)
(05.6)

1991年買収 → **レブロンからマックスファクター事業**

2003年買収 → ヘアケア **ウエラ(ドイツ)**

2005年買収 → カミソリ・シェーバー **ジレット(米)**

67年傘下に → シェーバー **ブラウン(独)**

96年傘下に → バッテリー **デュラセル(米)**

**シュウウエムラ化粧品(日)**

2000年資本参加

01年合弁解消 → **コーセー(日)**

「ランコム」ブランド
**ロレアル(仏)**
L'OREAL
売上高　2兆347億円
(145.34億ユーロ)
純利益　2318億円
(16.56億ユーロ)
(04.12)

約17%出資

医薬大手 **サノフィ・アベンティス(仏)**

26.4%出資

**ネスレ(スイス)**

食品・ヘアケアなど
**ユニリーバ(英・オランダ)**
UNILEVER
売上高　5兆5540億円
(396.72億ユーロ)
純利益　5272億円
(37.66億ユーロ)
(05.12)

**ヘンケル(ドイツ)**
HENKEL
売上高　1兆6763億円
(119.74億ユーロ)
純利益　1059億円
(7.57億ユーロ)
(05.12)

「クリネックス」
**キンバリー・クラーク(米)**
KIMBERLY-CLARK
売上高　1兆8288億円
(159.03億ドル)
純利益　1803億円
(15.68億ドル)
(05.12)

トイレタリー事業が売上全体の1割程度にとどまる資生堂は、トイレタリー事業のスリム化を推進する方向だ。各社とも経営資源を得意分野に集中することでさらなる飛躍をめざそうというわけだ。

ただし、米国勢の**プロクター・アンド・ギャンブル**（P&G）や**ジョンソン&ジョンソン**（J&J）、欧州勢の**ユニリーバ**（英・オランダ）などの世界大手は手強い存在である。いずれも、国際的なM&A（企業の合併・買収）も積極的に展開、売上高が5兆円から6兆円規模の巨大企業グループだ。

たとえば、これまでヘアケアの独ウエラなどを傘下に収めてきたP&Gは、05年には、ブラウン（独）などをグループ化してきたカミソリ・シェーバー大手のジレット（米）を買収しているが、その投資金額は約6兆円という巨額である。医薬品大手であるとともに、ベビーオイルなどトイレタリー大手のJ&Jもまた、大型の買収を進めてきている。

高級化粧品の展開で日本の百貨店の化粧品売場を一変させた「クリニーク」の**エスティローダー**（米）や、「ランコム」などのブランドのロレアル（仏）も、その存在感を発揮している。

## 化粧品・トイレタリー②

### ジョンソン&ジョンソン(米) JOHNSON & JOHNSON

売上高　5兆8091億円（505.14億ドル）
純利益　1兆1972億円（104.11億ドル）
（05.12）

〈医薬品以外の主な売上高〉（04.12）

- スキンケア売上高　21.40億ドル
- 女性用ヘルス　14.70億ドル
- ベビー&キッズケア　14.47億ドル
- 市販薬・栄養製品　23.95億ドル

### 花王 KAO

売上高　9368億円
純利益　721億円
（05.3）

05年傘下に → カネボウ化粧品

### 資生堂 SHISEIDO

売上高　6398億円
純利益　▲88億円
（05.3）

### エスティローダー(米) ESTEE LAUDER

売上高　7286億円（63.36億ドル）
純利益　466億円（4.06億ドル）
（05.6）

### エイボン(米) AVON

売上高　9274億円（80.65億ドル）
純利益　975億円（8.48億ドル）
（05.12）

### レブロン(米) REVLON

売上高　1491億円（12.97億ドル）
純利益　▲164億円（▲1.43億ドル）
（04.12）

### アルバート・カルバー(米) ALBERTO CULVER

売上高　4060億円（35.31億ドル）
純利益　242億円（2.11億ドル）
（05.9）

### コルゲート・パーモリブ(米) COLGATE-PALMOLIVE

売上高　1兆2171億円（105.84億ドル）
純利益　1526億円（13.27億ドル）
（04.12）

プロクター&ギャンブル → 買収 → ウエラ(ドイツ)

### ウエラ(ドイツ) WELLA

売上高　3831億円（27.37億ユーロ）
純利益　310億円（2.22億ユーロ）
（05.6）

## 総合電機

# シーメンスを筆頭に、日立、松下などが売上規模で世界上位!

## ――韓国勢のサムスン、LG電子も世界トップ10にランクイン

照明など電機関連は手がけるものの航空エンジンや金融など多方面で事業を展開している米GEを別とすれば、売上規模では独**シーメンス**、それに**日立製作所**や**松下電器産業**など日本勢の上位が絡むというのが世界の総合電機業界の構図だ。

シーメンスは発電システム(エネルギー関連)、医療機器、照明、自動制御ドライブシステム(オートメーション&コントロール)、それに鉄道車両(交通システム)といった事業を手がけており、その事業分野からすれば電力関係など重電部門を抱える日立や**東芝**に似ている。日本では繊維・化学の旭化成、産業・工作機械の安川電機と合弁事業を展開しているほか、06年に入ってNECエレクトロニクスと半導体で提携することを発表。携帯電話事業は本体から分離、台湾の明基電通に売却している。

韓国勢の**サムスン電子**や**LG電子**も世界トップ10にランクイン。サムスンはソニーと液晶パネルで合弁を展開。LGは松下の特許侵害の提訴を受けたのち和解に応じたことで、両社は特許相互利用の関係を結んでいる。

## 総合電機①

### シーメンス(ドイツ) SIEMENS

売上高 10兆5623億円 (754.45億ユーロ)
純利益 3147億円 (22.48億ユーロ)
(05.9)

〈主な事業〉
- 情報・通信
- オートメーション&コントロール
- エネルギー
- 医療機器
- 照明
- 交通システム

シーメンス → 出資 → 医療機器 シーメンス旭メディテック（旭化成 → 出資）

シーメンス → 出資 → 安川シーメンスオートメーション・ドライブ、安川シーメンスNC（安川電機 → 出資）

シーメンス → 特許許諾 → 富士電機ホールディングス

明基電通(台湾) → 携帯電話事業買収 → シーメンス

### GE(米) GENERAL ELECTRIC

売上高 17兆2157億円 (1497.02億ドル)
(05.12)

### 日立製作所(日) HITACHI

売上高 9兆270億円
純利益 514億円
(05.3)

日立製作所 ↔ 液晶・プラズマパネルで提携 ↔ 松下電器産業

### 松下電器産業(日) MATSUSHITA ELECTRIC

売上高 8兆7136億円
純利益 584億円
(05.3)

### サムスン電子(韓国) SAMSUNG ELECTRONICS

売上高 5兆7460億円 (57兆4600億ウォン)
純利益 7640億円 (7兆6400億ウォン)
(05.12)

サムスン電子 ↔ 液晶パネルで合弁 ↔ ソニー

### ソニー(日) SONY

売上高 7兆1596億円
純利益 1638億円
(05.3)

米**タイコ・インターナショナル**は医療関連機器を中心に電子部品、防火システムなどを手がけるほか、洋服のハンガーも製造販売しているように幅広い事業分野を持つ。

オランダの**フィリップス**は、GEやシーメンスなどと並ぶ医療機器の世界大手であるほか、コーヒーメーカーや照明関連でも存在感を発揮している会社だ。また、フィリップスは光ディスクの特許収入が多いことでも知られるほか、韓国のLG電子と設立したLGフィリップスLCDは、世界トップクラスの薄型ディスプレー会社である。

スウェーデンの**エレクトロラックス**は、冷蔵庫や掃除機など、いわゆる白物家電大手。白物家電分野で東芝と提携関係にあったが現在は解消している。

さて、日立や松下、**ソニー**、東芝、**三菱電機**、**シャープ**、**三洋電機**といった日本勢だが、売上高規模でいえば自動車業界の世界トップクラスには及ばないものの、製造業としては世界上位にあることはいうまでもない。だが、売上規模に見合うだけの利益を出していないという根本的な問題を抱える。

韓国のサムスンは05年こそ対前年比で利益は減少だが、それでも純利益はおよそ8000億円という高水準。それに引き換え、薄型テレビの好調さなどに支えられている松下やシャープでも、年間の純利益は1000億円に達していない。

## 総合電機②

### 東芝(日) TOSHIBA
売上高　5兆8361億円
純利益　460億円
(05.3)

### タイコ・インターナショナル(米) TYCO INTERNATIONAL
売上高　4兆5686億円
(397.27億ドル)
純利益　3486億円
(30.32億ドル)
(05.9)

松下電器産業

液晶・プラズマパネルで提携

### LG電子(韓国) LG ELECTRONICS
売上高　2兆3774億円
(23兆7740億ウォン)
純利益　703億円
(7030億ウォン)
(05.12)

サラ・リー(米)

提携

インベブ(ベルギー)

ビール会社

### フィリップス(オランダ) ROYAL PHILIPS ELECTRONICS
売上高　4兆2553億円
(303.95億ユーロ)
純利益　4015億円
(28.68億ユーロ)
(05.12)

### 三菱電機(日) MITSUBISHI ELECTRIC
売上高　3兆4106億円
純利益　711億円
(05.3)

### シャープ(日) SHARP
売上高　2兆5398億円
純利益　768億円
(05.3)

### 三洋電機(日) SANYO ELECTRIC
売上高　2兆5865億円
純利益　▲1715億円
(05.3)

東芝

提携解消

### エレクトロラックス(スウェーデン) ELECTROLUX
売上高　1兆8097億円
(1206.51億スウェーデンクローナ)
純利益　472億円
(31.48億スウェーデンクローナ)
(04.12)

**OA機器**

## キヤノンやリコーなど、日本勢が世界をリード！
### ——日本勢のライバルは、米ヒューレット・パッカード

**キヤノン**や**リコー**など日本勢が優位なポジションを占めているのが、コピー機やプリンターなどのOA機器分野である。

英ランク・ゼロックス（現、米**ゼロックス**）から資本の半分を受け入れてスタートした**富士ゼロックス**も、現在は、**富士写真フイルム**の子会社である。

時計のセイコーを中心にセイコーインスツルなどとグループを組む**セイコーエプソン**、**京セラ**や**シャープ**、**コニカミノルタホールディングス**、**カシオ計算機**、**沖電気工業**、**ブラザー工業**といったところもOA機器分野で世界展開をしている。

日本勢のライバルはコンパック・コンピュータ（米）を吸収合併した米**ヒューレット・パッカード**（HP）。HPは売上全体の3割をプリンターなどで稼ぐ。ちなみに、HPとキヤノンは親密な関係にあり、キヤノン売上の約2割はHP向けである。

売上高は1兆円に満たないが、**レックスマークインターナショナル**（米）は、IBM（米）のプリンター事業から出発した会社である。

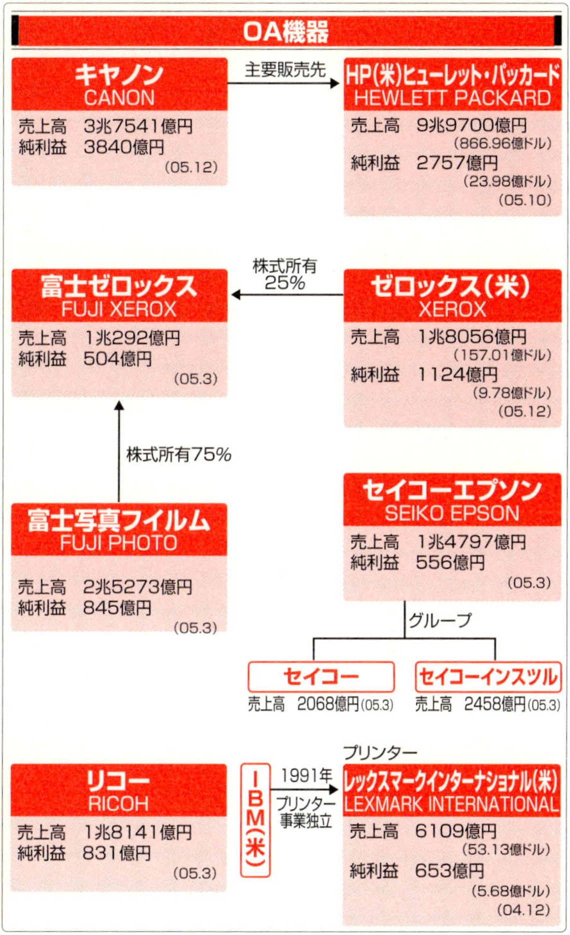
OA機器
キヤノン
CANON
売上高　3兆7541億円
純利益　3840億円
(05.12)
主要販売先
HP(米)ヒューレット・パッカード
HEWLETT PACKARD
売上高　9兆9700億円
(866.96億ドル)
純利益　2757億円
(23.98億ドル)
(05.10)
富士ゼロックス
FUJI XEROX
売上高　1兆292億円
純利益　504億円
(05.3)
株式所有
25%
ゼロックス(米)
XEROX
売上高　1兆8056億円
(157.01億ドル)
純利益　1124億円
(9.78億ドル)
(05.12)
株式所有75%
富士写真フイルム
FUJI PHOTO
売上高　2兆5273億円
純利益　845億円
(05.3)
セイコーエプソン
SEIKO EPSON
売上高　1兆4797億円
純利益　556億円
(05.3)
グループ
セイコー
売上高　2068億円(05.3)
セイコーインスツル
売上高　2458億円(05.3)
リコー
RICOH
売上高　1兆8141億円
純利益　831億円
(05.3)
IBM(米)
1991年
プリンター
事業独立
プリンター
レックスマークインターナショナル(米)
LEXMARK INTERNATIONAL
売上高　6109億円
(53.13億ドル)
純利益　653億円
(5.68億ドル)
(04.12)

**携帯端末**

## 世界中で携帯を売りさばくノキア(フィンランド)の実力
### ――第2位モトローラ(米)、第4位シーメンス(独)

携帯電話端末世界トップの**ノキア**によれば、05年、世界の携帯販売総台数7億9500万台のうちノキアの販売台数は2億6500万台で、シェアは33%だったとしている。とにかく、ノキアの場合、販売地域が全世界に及んでいる。05年10月から12月までの3か月間、8370万台の売上を地域別にまとめたものを左表にしているが、全世界で満遍なく売れていることがわかる。

2位は**モトローラ**(米)。こちらの05年販売は、1億4600万台だ。

世界4位の**シーメンス**(独)は、携帯電話事業を台湾の電機大手、明基電通に売却。日本関係ではエリクソンとの合弁、**ソニー・エリクソン・モバイルコミュニケーションズ**が唯一、世界上位に入っていて、05年の販売は5120万台だった。三洋電機と合弁会社設立予定だ。

携帯電話端末を製造する日本メーカーは10社を超えるが、日本市場でトップの**NEC**にしても年間出荷台数は1310万台(04年度)程度。国内2位の松下電器産業グループの**パナソニックモバイルコミュニケーションズ**らを含めて奮起が求められる。

## 携帯端末

世界シェアトップ

**ノキア（フィンランド）**
NOKIA

売上高 4兆7867億円（341.91億ユーロ）
純利益 4782億円（34.16億ユーロ）
（05.12）

携帯端末販売台数 2億6500万台（05年）

2005年10月—12月 地域別販売台数

| | | |
|---|---|---|
| 欧州 | 2990万台 | (35.8%) |
| 中東・アフリカ | 1030万台 | (12.3%) |
| 中国 | 950万台 | (11.3%) |
| アジア太平洋 | 1480万台 | (17.7%) |
| 北米 | 980万台 | (11.7%) |
| 中南米 | 940万台 | (11.2%) |
| 合計 | 8370万台 | (100%) |

携帯で合弁会社設立予定 → **三洋電機**

世界シェア2位

**モトローラ（米）**
MOTOROLA

売上高 4兆2369億円（368.43億ドル）
純利益 5264億円（45.78億ドル）
（05.12）

携帯端末販売台数 1億4600万台（05年）

05年

| | |
|---|---|
| 1—3月 | 2870万台 |
| 4—6月 | 3390万台 |
| 7—9月 | 3870万台 |
| 10—12月 | 4470万台 |

世界シェア3位
**サムスン電子（韓国）**

**ソニー** ・ **エリクソン（スウェーデン）** — 01年10月合弁 →

世界シェア6位

**ソニー・エリクソン・モバイルコミュニケーションズ**

売上高 1兆175億円（72.68億ユーロ）
純利益 719億円（(5.14億ユーロ）
販売台数 5120万台
（05.12）

世界シェア5位
**LG電子（韓国）**

**明基電通（台湾）** — 買収 → **シーメンス（独）**

世界シェア4位
**シーメンス（独）**

日本シェアトップ
**NEC**

## 携帯音楽プレーヤー

# 2250万台出荷の「iPod」でひとり勝ちのアップル

## ——対するソニー「ウォークマン」の見通しは？

**アップル・コンピュータ**（米）が「iPod」で携帯音楽プレーヤー分野に参入したのは01年。以来、ネット音楽配信「iTunes Music Store（アイチューンズミュージックストア）」の展開もあってその人気は高まる一方。世界市場で6割弱のシェアを握っていると推定されている。05年の出荷台数は約2250万台。

自社製品も販売している**東芝**は、アップルとはiPod向け半導体（フラッシュメモリー）の長期供給契約を結んでいる。アップルを追う一番手は**ソニー**。携帯音楽プレーヤーそのものは「ウォークマン」で自らが開拓した市場。05年の出荷は450万台を見込んでいた。

日本法人アイリバー・ジャパンを展開するのが、韓国のオーディオプレーヤーメーカーの**レインコム**。**クリエイティブテクノロジー**はシンガポールの企業として米ナスダック市場に最初に上場した企業で、日本法人を合弁で展開するアイ・オー・データ機器は、コンピュータ周辺機器の製造販売を手がける会社だ。

## 携帯音楽プレーヤー

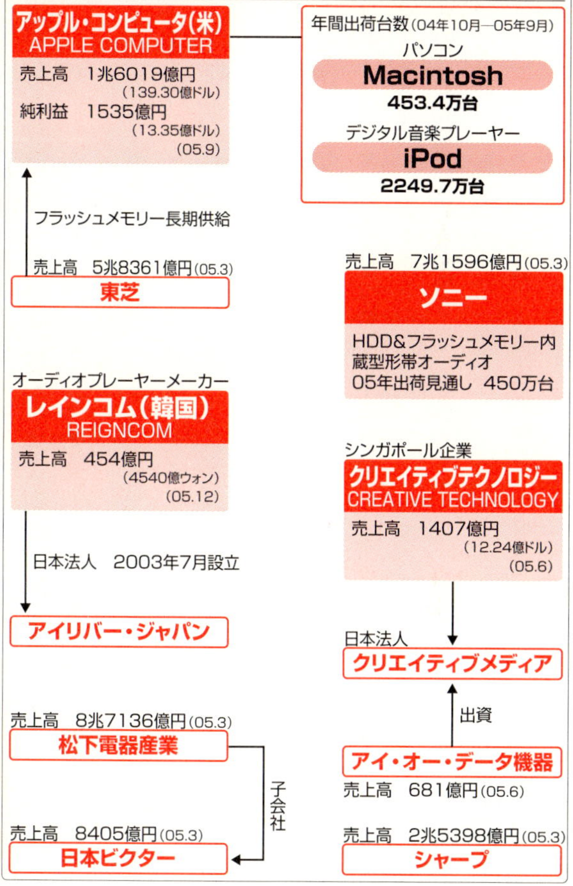
アップル・コンピュータ(米)
APPLE COMPUTER
売上高 1兆6019億円
(139.30億ドル)
純利益 1535億円
(13.35億ドル)
(05.9)
年間出荷台数(04年10月―05年9月)
パソコン
Macintosh
453.4万台
デジタル音楽プレーヤー
iPod
2249.7万台
フラッシュメモリー長期供給
売上高 5兆8361億円(05.3)
東芝
売上高 7兆1596億円(05.3)
ソニー
HDD&フラッシュメモリー内蔵型形帯オーディオ
05年出荷見通し 450万台
オーディオプレーヤーメーカー
レインコム(韓国)
REIGNCOM
売上高 454億円
(4540億ウォン)
(05.12)
日本法人 2003年7月設立
アイリバー・ジャパン
シンガポール企業
クリエイティブテクノロジー
CREATIVE TECHNOLOGY
売上高 1407億円
(12.24億ドル)
(05.6)
日本法人
クリエイティブメディア
出資
アイ・オー・データ機器
売上高 681億円(05.6)
売上高 8兆7136億円(05.3)
松下電器産業
子会社
売上高 8405億円(05.3)
日本ビクター
売上高 2兆5398億円(05.3)
シャープ

# 半導体

## 首位インテルは、アップル陣営も引き入れ盤石の地位を築く
### ――日立、ルネサス、東芝による共同生産構想は実現するか?

世界トップの半導体メーカーは、パソコンの心臓部ともいうべき半導体チップＭＰＵ（マイクロプロセッサー）でほぼ独占状態の**インテル**（米）である。06年に入って、米アップル・コンピュータもそれまでのＩＢＭ製から転換し、インテル製ＭＰＵを搭載したパソコンの発売を開始した。

売上高ではインテルを上回る**サムスン電子**（韓国）が2位。05年は04年に比べてやや マイナスになったが、それでも高い利益水準を確保している。以下、**テキサス・インスツルメンツ**（米）、**インフィニオンテクノロジーズ**（独）、**STマイクロエレクトロニクス**（スイス）などが続く。

日本勢はここにきて新たな動きが。**東芝**と**ソニー**、それに米**IBM**の3社は次世代ＭＰＵの共同開発をしているが、東芝とソニーはさらにシステムＬＳＩ関連で**NEC エレクトロニクス**と手を結んだ。**日立製作所**と**ルネサステクノロジ**、それに東芝による最先端半導体の共同生産の話も持ち上がっている。

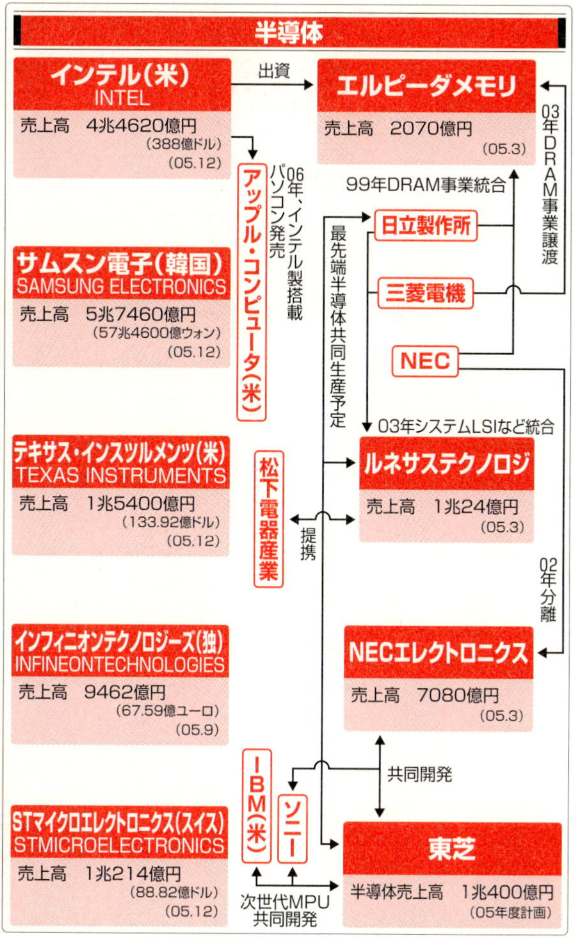
半導体
インテル(米)
INTEL
売上高　4兆4620億円
(388億ドル)
(05.12)
出資
エルピーダメモリ
売上高　2070億円
(05.3)
アップル・コンピュータ(米)
06年、インテル製搭載パソコン発売
99年DRAM事業統合
03年DRAM事業譲渡
日立製作所
三菱電機
NEC
最先端半導体共同生産予定
サムスン電子(韓国)
SAMSUNG ELECTRONICS
売上高　5兆7460億円
(57兆4600億ウォン)
(05.12)
03年システムLSIなど統合
テキサス・インスツルメンツ(米)
TEXAS INSTRUMENTS
売上高　1兆5400億円
(133.92億ドル)
(05.12)
松下電器産業
提携
ルネサステクノロジ
売上高　1兆24億円
(05.3)
02年分離
インフィニオンテクノロジーズ(独)
INFINEONTECHNOLOGIES
売上高　9462億円
(67.59億ユーロ)
(05.9)
NECエレクトロニクス
売上高　7080億円
(05.3)
共同開発
IBM(米)
ソニー
STマイクロエレクトロニクス(スイス)
STMICROELECTRONICS
売上高　1兆214億円
(88.82億ドル)
(05.12)
次世代MPU
共同開発
東芝
半導体売上高　1兆400億円
(05年度計画)

## コンピュータ

# パソコン2強のデル、HPを、レノヴォ(中国)などアジア勢が追走

### ——大型コンピュータで世界一のIBMは、パソコン事業を売却

ホストコンピュータや汎用コンピュータとも呼ばれる大型・高性能の「メインフレーム」や、ビジネス上のサービスを提供するために使われる「サーバー」を展開する主要企業は**IBM**、**HP**(ヒューレット・パッカード)、**デル**、**サン・マイクロシステムズ**の米国勢、それに**NEC**、**富士通**、**日立製作所**の日本勢といったところである。

IBMはパソコン事業を手放したが、メインフレームやサーバーのメーカーとしては世界トップ。日本勢も大型コンピュータではそれぞれに「IBM＝日立」「HP＝NEC」「サン＝富士通」と海外勢と提携。ただし、サンはNECともシステム構築ビジネスなどで手を結んでいる。

一方、個人ユーザーが多いパソコンでは、デルとHPが世界シェアで2強を形成。IBMの社員約1万人を含めてIBMのパソコン事業を17・5億ドルで買収した**レノヴォ・グループ**(中国)や**エイサー**(台湾)といったアジア勢、それに富士通と独シーメンスの合弁、**富士通シーメンス**などが追走している。

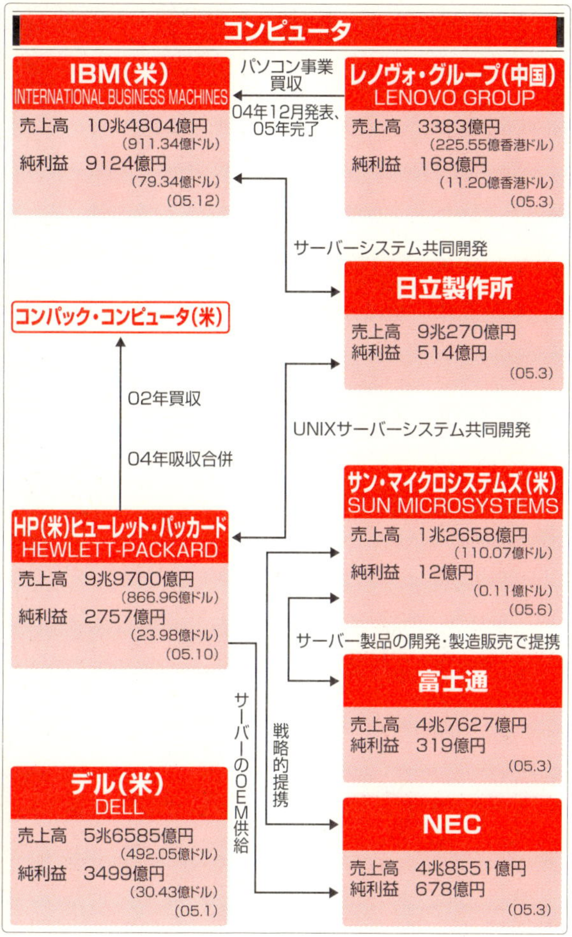
コンピュータ
IBM(米)
INTERNATIONAL BUSINESS MACHINES
売上高　10兆4804億円
(911.34億ドル)
純利益　9124億円
(79.34億ドル)
(05.12)
パソコン事業買収
04年12月発表、05年完了
レノヴォ・グループ(中国)
LENOVO GROUP
売上高　3383億円
(225.55億香港ドル)
純利益　168億円
(11.20億香港ドル)
(05.3)
サーバーシステム共同開発
日立製作所
売上高　9兆270億円
純利益　514億円
(05.3)
コンパック・コンピュータ(米)
02年買収
04年吸収合併
UNIXサーバーシステム共同開発
サン・マイクロシステムズ(米)
SUN MICROSYSTEMS
売上高　1兆2658億円
(110.07億ドル)
純利益　12億円
(0.11億ドル)
(05.6)
HP(米)ヒューレット・パッカード
HEWLETT-PACKARD
売上高　9兆9700億円
(866.96億ドル)
純利益　2757億円
(23.98億ドル)
(05.10)
サーバー製品の開発・製造販売で提携
富士通
売上高　4兆7627億円
純利益　319億円
(05.3)
サーバーのOEM供給
戦略的提携
デル(米)
DELL
売上高　5兆6585億円
(492.05億ドル)
純利益　3499億円
(30.43億ドル)
(05.1)
NEC
売上高　4兆8551億円
純利益　678億円
(05.3)

# ソフトウェア・コンピュータサービス

## パソコンOS「ウィンドウズ」で他を圧倒するマイクロソフト

### ——世界のソフトウェア2位は米オラクル

ソフトウェア業界の王者は、パソコンのOS「ウィンドウズ」シリーズで他社を圧倒する**マイクロソフト**（米）だ。同社は、年間売上高約397億ドルに対して、純利益は122億ドル（05年6月期）。30％、100円の売上に対して30円強が純利益という高水準だ。日本を代表する高収益企業トヨタ自動車にしても、100円の売上に対して6円にすぎない。あまりにもマイクロソフトが強力であるがゆえに、公正な競争を妨害しているとして、**サン・マイクロシステムズ**（米）などに対して和解金を支払う事態を招いているほどだ。

ピープルソフト（米）やリテック（米）を買収した**オラクル**（米）が世界ソフトウエア2位。リテックの買収には世界3位の**SAP**（独）も参戦したが、最終的にはオラクルが手に入れた。

顧客企業に最適の情報システムを提供するなどコンピュータサービスでは、**IBM**（米）を別とすれば、**EDS**（米）などが世界的に活躍するプレーヤーである。

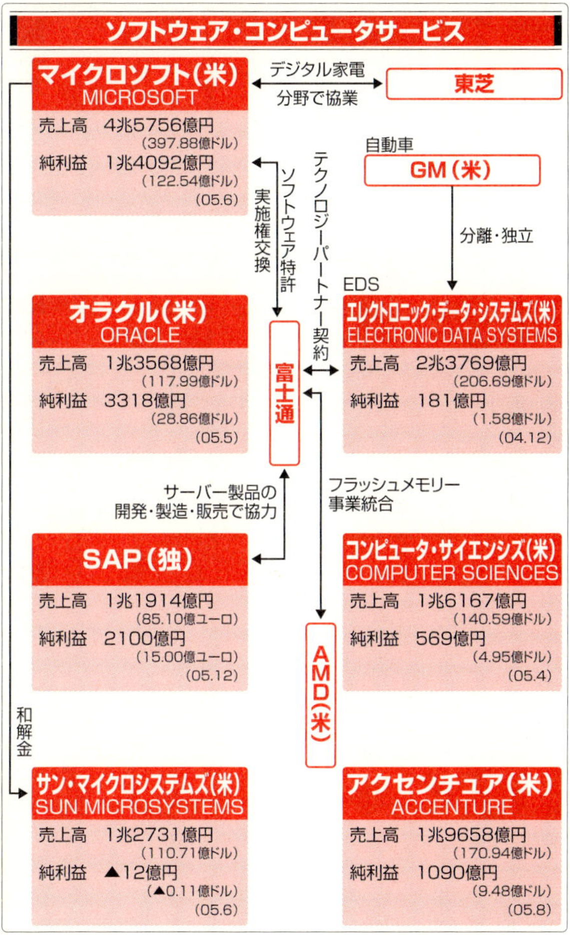
ソフトウェア・コンピュータサービス
マイクロソフト(米)
MICROSOFT
売上高 4兆5756億円
(397.88億ドル)
純利益 1兆4092億円
(122.54億ドル)
(05.6)
デジタル家電
分野で協業
東芝
自動車
GM(米)
分離・独立
ソフトウェア特許
実施権交換
テクノロジーパートナー契約
EDS
エレクトロニック・データ・システムズ(米)
ELECTRONIC DATA SYSTEMS
売上高 2兆3769億円
(206.69億ドル)
純利益 181億円
(1.58億ドル)
(04.12)
オラクル(米)
ORACLE
売上高 1兆3568億円
(117.99億ドル)
純利益 3318億円
(28.86億ドル)
(05.5)
富士通
サーバー製品の
開発・製造・販売で協力
フラッシュメモリー
事業統合
SAP(独)
売上高 1兆1914億円
(85.10億ユーロ)
純利益 2100億円
(15.00億ユーロ)
(05.12)
コンピュータ・サイエンシズ(米)
COMPUTER SCIENCES
売上高 1兆6167億円
(140.59億ドル)
純利益 569億円
(4.95億ドル)
(05.4)
AMD(米)
和解金
サン・マイクロシステムズ(米)
SUN MICROSYSTEMS
売上高 1兆2731億円
(110.71億ドル)
純利益 ▲12億円
(▲0.11億ドル)
(05.6)
アクセンチュア(米)
ACCENTURE
売上高 1兆9658億円
(170.94億ドル)
純利益 1090億円
(9.48億ドル)
(05.8)

**自動車関連**

# 販売不振などで苦境にあえぐ世界トップのGM、フォード

## ——トヨタは、生産台数900万台で世界の頂点を視野に！

部品メーカーやタイヤ会社を含めて、世界の主要自動車関連会社を売上高ベースでみると、トップは米**ゼネラル・モーターズ**（GM）、2位の座を巡って**ダイムラークライスラー**（ドイツ）や**フォード・モーター**（米）、**トヨタ自動車**が競いあっている構図になっている。

以下、ドイツの**フォルクスワーゲン**（VW）や**ホンダ**、**日産自動車**などが続き、韓国の**現代自動車**、乗用車部門はフォード傘下に手放しトラック部門が中心の**ボルボ**（スウェーデン）もランクインする。

トヨタ系の**デンソー**、それにタイヤの**ブリヂストン**がそうであるように部品メーカーやタイヤメーカーも売上規模は大きく、ドイツの部品メーカーである**ロバートボッシュ**、1999年にGMから独立した**デルファイ**（米）、フォード系の**ビステオン**（米）、それにタイヤの**ミシュラン**（仏）や**グッドイヤー**（米）も上位に食い込む。

さて、自動車世界最大手のGM、それに2位クラスのフォードが苦境に陥っている。

## 自動車関連①

### ゼネラル・モーターズ（米） GM GENERAL MOTORS

売上高　22兆1494億円
（1926.04億ドル）
純利益　9837億円
（▲85.54億ドル）
従業員　32万5000人
生産台数　909万8000台
（05.12）

オペル
サーブ
ボグゾール

### ダイムラークライスラー（ドイツ） DAIMLERCHRYSLER

売上高　20兆9686億円
（1497.76億ユーロ）
純利益　3984億円
（28.46億ユーロ）
従業員　38万2724人
生産台数　461万7699台
（05.12）

合弁事業（GM ⇔ トヨタ）

ハイブリッド技術供与（トヨタ → フォード）

提携（フォルクスワーゲン ⇔ ダイムラークライスラー）

### トヨタ自動車 TOYOTA MOTOR

売上高　18兆5515億円
純利益　1兆1712億円
従業員　26万5753人
生産台数　754万7177台
（05.3）

ダイハツ工業
日野自動車

### フォード・モーター（米） FORD MOTOR

売上高　20兆4816億円
（1781.01億ドル）
純利益　2297億円
（19.98億ドル）
従業員　32万4864人
販売台数　679万8000台
（05.12）

ジャガー
ボルボカーズ

ポルシェ（独）
出資（ポルシェ → フォルクスワーゲン）

### フォルクスワーゲン（ドイツ） VOLKSWAGEN

売上高　12兆4548億円
（889.63億ユーロ）
純利益　947億円
（6.77億ユーロ）
従業員　34万2502人
生産台数　509万3181台
（04.12）

アウディ
セアト
スコダ
ベントレー
ランボルギーニ

### ホンダ HONDA MOTOR

売上高　8兆6501億円
純利益　4861億円
従業員　13万7827人
生産台数　318万1624台
（05.3）

（生産台数は04年。トヨタ資料より。フォードは販売台数。系列・ブランドは生産・販売台数に含まれるものだけを列挙）

05年の通年決算、GMは売上高1926億4000万ドルと対前年比微減ながら、最終損益は85億5400万ドルの赤字だった。1992年の赤字約235億ドルこそ下回るものの、85億ドルは約9800億円（1ドル115円で換算）という巨額の赤字である。フォードも売上高は1781億1000万ドルと前年に比べて増収も、純利益は40％超マイナスの19億9800万ドルだった。

GMやフォードの苦境は、主たる拠点である北米市場での不振が最大の要因。代わって浮上しているのが、トヨタを中心とする日本勢だ。

GMの05年世界販売台数は900万台超、それに対して、トヨタは800万台を超えたレベルで、依然として販売台数でもトップのGMだが、06年の生産台数ベースでは、トヨタがGMを逆転する可能性も強まっている。

GMやフォードは経営再建の切り札として大胆なリストラを計画、複数の工場を削減予定の一方で、トヨタは米国や中国で新工場を稼動させ生産台数900万台（04年754万台、05年823万台）も視野に入っているからだ。

また、ヨーロッパ勢ではイタリアの**フィアット**の低落傾向が顕著。05年の欧州市場販売では、日産とグループを組む仏**ルノー**も低迷した。好調なのはドイツの**BMW**。

## 自動車関連②

### 日産自動車
NISSAN MOTOR

売上高 8兆5762億円
純利益 5122億円
従業員 16万9644人
生産台数 319万4119台
(05.3)

相互出資

OEM供給

### フィアット(イタリア)
FIAT

売上高 6兆5161億円
(465.44億ユーロ)
純利益 1988億円
(14.20億ユーロ)
従業員 16万549人
生産台数 193万7865台
(05.12)

### ルノー(フランス)
RENAULT

売上高 5兆7873億円
(413.38億ユーロ)
純利益 4713億円
(33.67億ユーロ)
従業員 13万740人
生産台数 247万1654台
(05.12)

ダチア

ルノー・サムスン

出資

### 現代自動車(韓国)
HYUNDAI MOTOR

売上高 2兆7384億円
(27兆3840億ウォン)
純利益 1804億円
(1兆8040億ウォン)
従業員 5万5625人(単体)
生産台数 337万5421台
(05.12)

起亜

CKD

### PSAプジョーシトロエン(仏)
PSA PEUGEOT CITROEN

売上高 7兆8776億円
(562.69億ユーロ)
純利益 1386億円
(9.90億ユーロ)
従業員 20万8500人
生産台数 340万5100台
(05.12)

ロールス・ロイス

ミニ

### BMW(ドイツ)
BMW

売上高 6兆2069億円
(443.35億ユーロ)
純利益 3110億円
(22.22億ユーロ)
従業員 10万5972人
生産台数 125万345台
(04.12)

部品メーカー

### ロバートボッシュ(ドイツ)
ROBERT BOSCH

売上高 5兆8800億円
(420.00億ユーロ)
(05.12)

部品メーカー

### デルファイ(米)
DELPHI

売上高 3兆2915億円
(286.22億ドル)
(04.12)

### ボルボ(スウェーデン)
VOLVO

売上高 3兆4678億円
(2311.91億スウェーデンクローナ)
純利益 1965億円
(131.06億スウェーデンクローナ)
従業員 8万1000人
生産台数 65万9255台
(05.12)

(生産台数は主に04年。トヨタ資料などより。系列・ブランドは生産・販売台数に含まれるものだけを列挙)

ホンダやトヨタ、**スズキ**といった日本勢も欧州市場で販売台数を伸ばしていて、とくに韓国の現代自動車グループ、**起亜自動車**の伸びも目立っていた。

そうした状況下、独フォルクスワーゲンとダイムラークライスラー（独）はミニバンの開発・生産で提携。フォルクスワーゲンには独**ポルシェ**が資本参加と、新たな動きも出てきている。

世界の自動車生産台数は6290万台（04年）。国別ではアメリカ、日本、ドイツ、中国、韓国と続いており、中国が販売も含めて2位になるのは時間の問題。世界の大手が現地資本と手を組む（111ページ参照）などして激しいシェア争いを繰り広げている。

なお、建設・農業機械では**新キャタピラー三菱**に資本参加している**キャタピラー**（米）が世界トップ。世界的に活況なエネルギー・資源開発を背景に、中南米やアジア・オセアニア、アフリカなどにおいて鉱山機械や大型ダンプトラックの売上を拡大しているコ**マツ**が2位。**住友建機**、それに神戸製鋼所の子会社**コベルコ建機**と提携関係などにあるのが、農機・建機メーカー**CNHグローバル**（オランダ）だ。CNHはオランダと米国の2社が合併して誕生、フィアットグループが大株主である。

# 自動車関連③

トヨタ系部品メーカー
**デンソー(日)** DENSO
売上高 2兆7999億円 (05.3)

フォードグループ
**マツダ(日)** MAZDA MOTOR
売上高 2兆6955億円 (05.3)

タイヤ
**ブリヂストン(日)** BRIDGESTONE
売上高 2兆4166億円 (05.3)

GMグループ
**スズキ(日)** SUZUKI MOTOR
売上高 2兆3655億円 (05.3)

06年3月、GMは持株20%のうち17%を売却

部品メーカー
**マグナインターナショナル(カナダ)** MAGNA INTERNATIONAL
売上高 2兆3750億円 (206.53億ドル) (04.12)

タイヤ
**ミシュラン(仏)** MICHELIN
売上高 2兆1964億円 (156.89億ユーロ) (04.12)

**三菱自動車(日)** MITSUBISHI MOTOR
売上高 2兆1226億円 (05.3)

部品メーカー
**ビステオン(米)** VISTEON
売上高 2兆1455億円 (186.57億ドル) (04.12)

タイヤ
**グッドイヤー(米)** GOODYEAR
売上高 2兆1125億円 (183.70億ドル) (04.12)

トヨタ系部品メーカー
**アイシン精機(日)** AISIN SEIKI
売上高 1兆8290億円 (05.3)

部品メーカー
**リアー(米)** LEAR
売上高 1兆9659億円 (170.95億ドル) (05.12)

タイヤ
**コンチネンタル(ドイツ)** CONTINENTAL
売上高 1兆7635億円 (125.97億ユーロ) (04.12)

〈建設・農業機械〉

**キャタピラー(米)** CATERPILLAR
売上高 4兆1789億円 (363.39億ドル) (05.12)
→ 50%出資 → **新キャタピラー三菱**

**ディア(米)** DEERE
売上高 2兆5220億円 (219.31億ドル) (05.10)

**日立建機** ⇔ ディア(米): OEM供給・購入

日立建機 ⇔ CNHグローバル(オランダ): ショベルを相互供給

**コマツ(日)** KOMATSU
売上高 1兆4347億円 (05.3)

**CNHグローバル(オランダ)** CNH GLOBAL
売上高 1兆4005億円 (121.79億ドル) (04.12)
→ 20%出資 → **コベルコ建機**

**フィアットグループ** → 約85%出資 → CNHグローバル(オランダ)

リオドセ（ブラジル）……………………………………………………120、121
リコー…………………………………………………………………………186、187
リシュモン（スイス）…………………………………………26、28、29、135
【ル】
ルネサステクノロジ………………………………………………………192、193
ルノー（フランス）…………………………………………………………200、201
ルフトハンザ・ドイツ航空（ドイツ）…………………………………41、42
【レ】
レイセオン（米）…………………………………………………142、143、145
レイノルズ・アメリカン（米）…………………………………………134、135
レインコム（韓国）…………………………………………………………190、191
レックスマークインターナショナル（米）……………………………186、187
レノヴォ・グループ（中国）……………………………………150、194、195
レブロン（米）……………………………………………………………………181
【ロ】
ローリングス（米）…………………………………………………………………35
ロールス・ロイス（英）……………………………………………………………144
ローンスター（米）………………………………………………………………84、85
ロイター（英）………………………………………………………………54、61、88
ロイヤルＢＡＭグループ（オランダ）……………………………………………149
ロイヤル・ダッチ・シェル（オランダ）…………………………………114、115
ロイヤル・バンク・オブ・スコットランド（英）…………………………………93
ロイヤルメイルホールディングス（英）……………………………………………39
ロウズ（米）…………………………………………………………………………21
ロシュ（スイス）…………………………………………………172、175、176
ロスチャイルド（英・フランス）…………………………………………100、101
ロスマンズ（英）…………………………………………………………………135
ロッキード・マーチン（米）……………………………………142、143、145
ロッテ・ショッピング（韓国）……………………………………………21、22、54
ロバートボッシュ（ドイツ）……………………………………………198、201
ロレアル（フランス）……………………………………………178、179、180
【ワ】
ワーナー・ブラザーズ（米）…………………………………………………………57
ワイス（米）………………………………………………………………176、177
ワコール…………………………………………………………………………………31
ワコビア（米）………………………………………………………………91、92、95
ワシントンポスト（米）……………………………………………………………61、62
ワンダーブラ（米）…………………………………………………………………131

モルソン・クアーズ・ブリューイング（米・カナダ）……………………………139
モルガン・スタンレー（米）………………………………………84、85、96、97、98
モルガン・スタンレー・ジャパン・リミテッド……………………………………97
モルガン・スタンレー・アセット・マネジメント…………………………………97
森トラスト……………………………………………………………76、77、82、83
森ビル……………………………………………………………………………82、83
【ヤ】
ヤクルト本社……………………………………………………………………126、127
ヤフー（米）…………………………………………………………………70、71、74
ヤマザキナビスコ…………………………………………………………………125
ヤマトホールディングス…………………………………………………37、38、39
安川シーメンスＮＣ………………………………………………………………183
安川シーメンスオートメーション・ドライブ……………………………………183
安川電機……………………………………………………………………………183
山崎製パン……………………………………………………………………124、125
【ユ】
ユナイテッド・テクノロジーズ（米）……………………………143、144、145
ユナイテッド航空（米）……………………………………………………………41
ユニオン・カーバイド（米）………………………………………………………167
ユニ・チャーム……………………………………………………………………178
ユニバーサルピクチャーズ（米）…………………………………………………57
ユニバーサルパークス&リゾーツ（米）…………………………………………57
ユニリーバ（英・オランダ）………………………………………128、129、179、180
ユノカル（米）…………………………………………………………………116、117
雪印乳業……………………………………………………………………………126
【ヨ】
読売広告社………………………………………………………………………73、74
読売新聞グループ本社………………………………………………………………56
【ラ】
ラ・ポスト（フランス）……………………………………………………………39
ライアン航空（アイルランド）……………………………………………………45
ライオン……………………………………………………130、131、169、170、178
ライオン・アクゾ…………………………………………………………………169
ライオンネイサン（オーストラリア）……………………………………………137
ライオンマコーミック…………………………………………………………130、131
ラファージュ（フランス）……………………………………………………164、165
ラルストン・ピュリナ（米）………………………………………………………127
ランクセス（ドイツ）……………………………………………………………167
ラン航空（チリ）……………………………………………………………………43
【リ】
リーバ（イタリア）………………………………………………………………161
リーボック（米）……………………………………………………………………33
リーマン・ブラザーズ・ホールディングス（米）……………………………96、99
リーマン・ブラザーズ証券……………………………………………………………99
リアー（米）………………………………………………………………………203
リオ・ティント（英・オーストラリア）…………………………………118、119、120

マツダ……………………………………………………………………………………203
マニュライフ生命………………………………………………………………………91、92
マリオット・インターナショナル（米）………………………………………79、80
松下電器産業…………………………………57、112、182、183、185、191、193
丸紅……………………………………………………………………………………………19
【ミ】
ミシュラン（フランス）…………………………………………………………198、203
ミズノ……………………………………………………………………………32、34、35
ミタル・スチール（オランダ）………………………………………156、157、158
ミツカングループ本社………………………………………………………………131
ミュンヘン再保険（ドイツ）……………………………………………………107、108
ミレアホールディングス………………………………………………108、109、112
ミレニアムリテイリング…………………………………………………20、21、100
みずほフィナンシャルグループ…………………………………………………91、92
三井・デュポンフロロケミカル……………………………………………………169
三井・デュポンポリケミカル…………………………………………………………169
三井化学……………………………………………………………166、167、168、170
三井金属…………………………………………………………………………………123
三井鉱山…………………………………………………………………………………157
三井住友フィナンシャルグループ……………………………………………………93
三井住友海上火災保険………………………………………………99、103、108、109
三井物産……………………………………………………………112、119、122、169
三越…………………………………………………………………………………………25
三菱ＵＦＪフィナンシャル・グループ…………………………………90、91、97
三菱ウェルファーマ……………………………………………………………………166
三菱マテリアル…………………………………………………119、122、123、171
三菱化学……………………………………………………………………166、167、168
三菱自動車……………………………………………………………………111、203
三菱重工業……………………………………………………………………140、145
三菱商事……………………………………………………………107、119、121、122
三菱東京ＵＦＪ銀行…………………………………………………………………107
三菱電機…………………………………………………………………184、185、193
【メ】
メイ・デパートメント・ストアーズ（米）…………………………………………23
メットライフ（米）………………………………………………………91、104、105
メトロ（ドイツ）…………………………………………………………………19、20
メトロキャッシュアンドキャリージャパン…………………………………………19
メリディアン・ホテルズ&リゾーツ（英）………………………………………80、85
メリルリンチ（米）…………………………………………………91、92、96、97、98
メリルリンチ日本証券…………………………………………………………………97
メリルリンチ日本ファイナンス…………………………………………………………97
メルク（米）……………………………………………………………………172、175
明治安田生命保険……………………………………………………………104、105
【モ】
モトローラ（米）…………………………………………………53、87、188、189
モルソン（カナダ）……………………………………………………………136、139

富士ゼロックス……186、187
富士通……194、195、197
富士通シーメンス……194
富士フイルムイメージング……31
藤田観光……82、83
不二家……129、130
船井電機……20
古河機械金属……123
**【へ】**
ベース（ベルギー）……65
ベーリンガーインゲルハイム（ドイツ）……172
ベア・スターンズ（米）……101
ペイレス・シューソース（米）……25
ペイレス・シューソース・ジャパン……25
ベクテル（米）……148、149
ベストバイ（米）……21
ベネトン・グループ（イタリア）……30、31
ペプシコ（米）……53、88、128、129
ベライゾンコミュニケーションズ（米）……64、69
ベライゾン・ワイヤレス（米）……68、69
ベルサウス（米）……68、69
ベルテルスマン（ドイツ）……62、63
ペルノ・リカール（フランス）……138、139
ヘンケル（ドイツ）……179
米国郵政公社（米）……37
北京汽車（中国）……111
**【ホ】**
ボーイング（米）……140、141、145
ボーダフォン（英）……54、64、67、69
ホーム・デポ（米）……19、20
ポスコ（韓国）……54、159、160
ホスピタリティ・ネットワーク……83
ポッカコーポレーション……126、127
ホッホティーフ（ドイツ）……148、149
ホテルオークラ……78
ポルシェ（ドイツ）……202
ホルシム（スイス）……164、165
ボルボ（スウェーデン）……198、201
ホンダ……18、111、198、199
**【マ】**
マースク・シーランド（デンマーク）……46、47
マイクロソフト（米）……52、53、70、71、88、196、197
マクドナルド（米）……53、132、133
マグナインターナショナル（カナダ）……203
マコーミック（米）……130、131
マッキャンエリクソン……73

ピーシーエー生命……102、105
ピクサー・アニメーション・スタジオ（米）……60
ビステオン（米）……198、203
ヒットユニオン……34、35
ピノー・プランタン・グループ→ＰＰＲ
ヒューレット・パッカード→ＨＰ
ピルキントン（英）……164、165
ピルズベリー（米）……130
ヒルトンインターナショナル（英）……77、78
ヒルトン・ホテルズ・コーポレーション（米）……77、78
日立製作所……182、183、192、194、195
現代自動車（韓国）……198、201
【フ】
ブーツ（英）……23、24
プーマ（ドイツ）……34、35
ファイザー（米）……53、87、172、173、176
フィアット（イタリア）……200、201
ブイグ（フランス）……147、148
ブイグテレコム（フランス）……65
フィリップス（オランダ）……184、185
フィリップモリスＵＳＡ（米）……124
フィンランド航空（フィンランド）……43
フェデックス（米）……38、39
フェデレーテッド・デパートメント・ストアーズ（米）……22、23
フェルプスドッジ（米）……121
フォーシーズンズホテルズ＆リゾーツ（カナダ）……82、83
フォーティス（ベルギー・オランダ）……95
フォード・モーター（米）……111、198、199
フォルクスワーゲン（ドイツ）……111、198、199、202
フジクラ……123
フジテレビジョン……56
ブラザー工業……186
フランステレコム（フランス）……64、65、66
ブリストル・マイヤーズスクイブ（米）……168、176、177
ブリヂストン……198、203
ブリヂストン・スポーツ……31
ブリティッシュエアウェイズ（英）……43
ブリティッシュ・テレコム→ＢＴ
ブリティッシュ・ミッドランド航空（英）……41
ブルームバーグ（米）……61
ブルガリ・グループ（イタリア）……31
プルデンシャル（英）……102、105
プルデンシャル・ファイナンシャル（米）……102、104、105
プロクター＆ギャンブル→Ｐ＆Ｇ
富士写真フイルム……186、187
富士重工業……140

ネプチューン・オリエント・ラインズ（シンガポール）…………………48、49
【ノ】
ノースウェスト航空（米）……………………………………………44、45
ノースロップ・グラマン（米）…………………………………………143
ノキア（フィンランド）……………………………………………188、189
ノバルティス（スイス）……………………………………173、174、176
ノリルスク・ニッケル（ロシア）………………………………………121
ノロスクヒドロ（ノルウェー）…………………………………………116
野村ホールディングス………………………………………………100、101
【ハ】
バークシャー・ハザウェイ（米）……………………………………107、108
バークレイズ（英）…………………………………………………………95
ハーゲンダッツ・ジャパン………………………………………………130
ハートフォード・フィナンシャル・サービシズ（米）…………………109
バーニーズニューヨーク（米）……………………………………………25
バーバリー（英）……………………………………………………………31
ハイアール（中国）…………………………………………………………112
バイアコム（米）…………………………………………………56、60、61
ハイアットホテルズ&リゾーツ（米）…………………………………82、83
バイエル（ドイツ）……………………………………166、167、168、169、170
ハイデルベルク（ドイツ）…………………………………………………165
ハイネケン（オランダ）……………………………………………………137
ハザマ…………………………………………………………………………146
バスキン・ロビンス（米）…………………………………………………130
ハチソンワンポア（香港）……………………………………21、22、151
パナソニックモバイルコミュニケーションズ……………………………188
パノラマ・ホスピタリティ……………………………………………97、98
ハパグ・ロイド（ドイツ）………………………………………………48、49
パブリシス・グループ（フランス）……………………………………72、75
パラマウントピクチャーズ（米）………………………………………60、61
バリー・ジャパン……………………………………………………………30
バリック・ゴールド（カナダ）……………………………………………121
ハリバートン（米）…………………………………………………147、148
ハルビンビール（中国）……………………………………………137、138
バンク・オブ・アメリカ（米）………………………………87、92、95
バンク・オブ・チャイナ（中国）…………………………………………154
バンク・オブ・チャイナ香港（中国）……………………………………154
バンク・オブ・ニューヨーク（米）……………………………………91、92
バンク・ワン（米）…………………………………………………………93
バンゲ（米）…………………………………………………………132、133
ハンファグループ（韓国）…………………………………………170、171
博報堂……………………………………………………………………73、74
博報堂ＤＹホールディングス…………………………………………72、73
韓進海運（韓国）……………………………………………………………51
万有製薬………………………………………………………………………172
【ヒ】

トリビューン（米）……61、62
東京ガス……83
東京海上日動火災保険……109
東芝……112、143、144、182、184、185、190、191、192、193、197
東食……132、133
東武鉄道……79
東燃ゼネラル石油……115
東邦亜鉛……123
東洋エンジニアリング……170、171
東レ……141、169、170
東レ・デュポン……169
同和鉱業……123
【ナ】
ナイキ（米）……32、33
ナイト・リッダー（米）……61、62
ナビスコ（米）……125、126
【ニ】
ニューコア（米）……161
ニュージーランド航空（ニュージーランド）……41、42、43
ニューズコーポレーション（米）……60、61
ニューバランス（米）……34、35
ニューモント・マイニング（米）……121
ニューヨーク・タイムズ（米）……61、62
日揮……148
日鉱金属……119、123
日興コーディアルグループ……100、101
20世紀ＦＯＸ（米）……61
日産自動車……18、111、201
日曹ＢＡＳＦアグロ……169
日本板硝子……164
日本製紙グループ本社……163
日本テレビ放送網……56
日本トイザらス……24、25
日本ビクター……191
日本マクドナルドホールディングス……24、25
日本貨物航空……41、42、49、50
日本軽金属……123
日本航空……42、43
日本生命保険……84、85、103、104
日本曹達……169
日本通運……39
日本郵政公社……36、37、38
日本郵船……42、46、49、50、51
【ネ】
ネスレ（スイス）……124、126、127
ネスレ・スノー……127

中国石油化工（中国）……116、117、167
中国連通（中国）……151
中国東方航空（中国）……45
中国南方航空（中国）……45
千代田化工建設……147、148
青島ビール（中国）……136、137
【テ】
ディア（米）……203
ディアジオ（英）……138、139
ティッセン・クルップ（ドイツ）……156、159
ティファニー（米）……31
テキサス・インスツルメンツ（米）……192、193
ティファニー（米）……31
デグサ（ドイツ）……166、167
デジタル・アドバタイジング・コンソーシアム……74
テスコ（英）……19、20
デビアス（南アフリカ）……119、120
デュポン（米）……166、167、168、169、170
デュポン帝人アドバンスドペーパー……169
デル（米）……53、88、194、195
テルストラ（オーストラリア）……65
デルタ航空（米）……40、44、45
デルファイ（米）……198
デルモンテフーズ（米）……130
テレコムイタリア（イタリア）……30、67
テレビ朝日……56
テレフォニカ（スペイン）……65、67
デンソー……198、203
帝国ホテル……78
帝国石油……116
帝人……169、170
帝人デュポンフィルム……169
帝人バイエルポリティック……169
電通……72、74、75
【ト】
トイザラス（米）……24、25
ドイツテレコム（ドイツ）……37、64、65、66
ドイツポスト（ドイツ）……36、37、38、54、88
ドイツ銀行（ドイツ）……92、93
ドイツ証券（ドイツ）……93
トタル（フランス）……116、117
ドファスコ（カナダ）……156、157
トヨタ自動車……18、52、86、111、198、199
ドライヤーズ（米）……127
ドリームワークスＳＫＧ（米）……60
トルコ航空（トルコ）……43、44

ソニー・エリクソン・モバイルコミュニケーションズ……………………188、189
ソニー・ピクチャーズエンタテインメント…………………………62、63、129
ソニー・ミュージックエンタテインメント………………………………62、63
ソフトバンク……………………………………………………66、71、74、75
そごう…………………………………………………………………20、21、22
双日……………………………………………………………………………125
損害保険ジャパン……………………………………………………………109
【タ】
ターゲット（米）…………………………………………………………19、20
ダイエー…………………………………………………………………84、85
タイコ・インターナショナル（米）……………………………………184、185
ダイセル・デグサ……………………………………………………………169
ダイセル化学工業……………………………………………………169、170
タイソンフーズ（米）…………………………………………………132、133
ダイムラークライスラー（ドイツ）………………54、111、143、198、199、202
タイムワーナー（米）………………………………………………57、70、71
タイ国際航空（タイ）………………………………………………41、43、44
ダウ・ケミカル（米）…………………………………………………166、167
ダノン・グループ（フランス）……………………………………124、126、127
タカナシ乳業…………………………………………………………………130
第一汽車（中国）……………………………………………………………111
第一三共………………………………………………………………172、177
第一生命保険…………………………………………………………104、105
大韓航空（韓国）……………………………………………………………45
大広………………………………………………………………………73、74
大成建設…………………………………………………………81、146、147
大日本インキ化学……………………………………………………………169
太平洋セメント………………………………………………………………165
大和証券グループ本社………………………………………………100、101
台湾プラスチックグループ（台湾）……………………………………170、171
武田薬品工業……………………………………………………169、170、172、177
竹中工務店……………………………………………………………146、149
【チ】
チャイナ・テレコム（中国）………………………………………54、150、151
チャイナ・ライフ・インシュアランス（中国人寿保険・中国）………………154
チェース・マンハッタン・バンク（米）……………………………………101
チェコ航空（チェコ）…………………………………………………………45
チューリッヒ・フィナンシャル・サービシズ（スイス）………………………109
中外製薬…………………………………………………………172、175、176
中国網通グループ（中国）……………………………………………………151
中国移動（中国）……………………………………………………………151
中国遠洋運輸集団（中国）…………………………………………………50、51
中国海運（中国）……………………………………………………………50、51
中国海洋石油（中国）………………………………………………………116、117
中国国際航空→エア・チャイナ
中国石油天然ガス（中国）…………………………………………………116、117

スカンジナビア航空（スウェーデン）……………………………………41
スカンスカ（スウェーデン）……………………………………147、148
スズキ…………………………………………………………111、202、203
スターウッド・ホテルズ&リゾーツワールドワイド（米）………………80、81
スターハブ（シンガポール）……………………………………………65
スタットオイル（ノルウェー）…………………………………………116
ステート・ストリート・コーポレーション（米）……………………98
ストラエンソ（フィンランド）…………………………………………163
スパンエア（スペイン）…………………………………………………41
スプリント（米）…………………………………………………………69
スプリント・ネクステル（米）………………………………………68、69
住化バイエルウレタン……………………………………………………169
住友化学…………………………………………166、167、168、169、173
住友金属工業…………………………………………………………156、161
住友金属鉱山…………………………………………………………121、123
住友建機……………………………………………………………………202
住友商事………………………………………………………………25、121
住友生命保険…………………………………………………………104、105
住友電気工業………………………………………………………………123
【セ】
セーフウェイ（米）………………………………………………………21
セイコー………………………………………………………………186、187
セイコーインスツル…………………………………………………186、187
セイコーエプソン……………………………………………………186、187
ゼット………………………………………………………………33、34、35
ゼネラルミルズ（米）……………………………………………………130
ゼネラリ（イタリア）………………………………………………102、103
ゼネラル・モーターズ→GM
セブン&アイ・ホールディングス……………………………………20、21
セメックス（メキシコ）……………………………………………164、165
セルコム（イスラエル）…………………………………………………65
ゼロックス（米）……………………………………………………186、187
センダント（米）………………………………………………………78、79
センチュリー21・ジャパン………………………………………………80
センテックス（米）…………………………………………………148、149
セントポール・トラベラーズ（米）……………………………………109
セントラル・サンゴバン…………………………………………………165
セントラル硝子………………………………………………………164、165
西友……………………………………………………………………18、19
西武百貨店…………………………………………………………20、21、22
全日本空輸……………………………………………41、42、50、112、153
全農（日）…………………………………………………………………133
【ソ】
ソシエテジェネラル（フランス）…………………………………………95
ソニー…………62、63、69、129、182、183、184、189、190、191、192、193
ソニーBMG・ミュージックエンタテインメント…………………………63

サムスン電子（韓国）……182、183、189、192、193
ザラ（スペイン）……31
サラガン（スイス）……35
サラ・リー（米）……130、131
サンゴバン（フランス）……164、165
サントリー……128、129、130、137、138
サン・マイクロシステムズ（米）……194、195、196、197
サンミゲル（フィリピン）……137
佐川急便……37、38
三洋電機……184、185
【シ】
シートゥーネットワーク……19
シーグラム（カナダ）……57、58
シーメンス（ドイツ）……182、183、188、189
シーメンス旭メディテック……183
シアーズローバック（米）……21、22、23、97
ジェイアイ傷害火災保険……107
ジェイ・セインズバリー（英）……21
シェブロン（米）……114、117
シティグループ（米）……53、87、91、92、101、104、105
シティバンク（米）……91
シノペック→中国石油化工
ジブラルタ生命……105
シャープ……184、185、186、191
ジャパンフリトレー……129
シュウウエムラ化粧品……179
ジョージア・パシフィック（米）……163
ジョンソン・エンド・ジョンソン→J&J
ジレット（米）……179、180
シンギュラー・ワイヤレス（米）……65、68
時事通信社……75
資生堂……178、181
清水建設……146、149
上海汽車（中国）……111
上海広告（中国）……73
上海宝鋼（中国）……159、160
商船三井……46、49、50、51
昭和シェル石油……115、116
新キャタピラー三菱……202
新日鉱ホールディングス……123
新日本製鉄……156
新日本石油……116
【ス】
スイス再保険（スイス）……108、109
スウォッチ・グループ（スイス）……31
スカイネットアジア航空……41、42

クローガー（米）……………………………………………………………19、20
クンバ・リソーシズ（南アフリカ）……………………………………………121
【ケ】
ケネディクス………………………………………………………………132、133
ケロッグブラウン&ルート（米）……………………………………147、148
京浜急行電鉄…………………………………………………………80、84、85
【コ】
コーセー……………………………………………………………………………178
コーチ（米）…………………………………………………………………25、31
コーチ・ジャパン……………………………………………………………………25
コーニング（米）……………………………………………………………164、165
コーラスグループ（英）…………………………………………………………161
コールスマイヤー（オーストラリア）……………………………………………21
コール・ハーン（米）………………………………………………………………33
ゴールドウイン………………………………………………………………………35
ゴールドマン・サックス・グループ（米）……53、84、85、86、87、93、96、99
ゴールドマン・サックス証券………………………………………………………99
コカ・コーラ（米）…………………………………………53、88、128、129
コストコ（米）………………………………………………………………19、20
コストコホールセールスジャパン……………………………………………………19
コスモテ（ギリシャ）………………………………………………………………65
コデルコ（チリ）……………………………………………………………………121
コニカミノルタホールディングス…………………………………………………186
コベルコ建機………………………………………………………………202、203
コマツ………………………………………………………………………202、203
コマツ電子金属……………………………………………………………………171
コムキャスト（米）…………………………………………………………63、69
コルゲート・パーモリブ（米）…………………………………………………181
コロニー・キャピタル（米）………………………………………………………85
コンアグラ・フーズ（米）……………………………………………128、131
コンチネンタル（ドイツ）…………………………………………………………203
コンチネンタル航空（米）…………………………………………………44、45
コンバース（米）……………………………………………………………………33
コンピュータ・サイエンシズ（米）………………………………………………197
神戸製鋼所…………………………………………………………………156、161
広州汽車（中国）……………………………………………………………………111
広州鋼鉄（中国）……………………………………………………………………160
国際石油開発…………………………………………………………………………116
【サ】
サークルKサンクス…………………………………………………………………31
ザ・タイムス（英）…………………………………………………………………60
サイバー・コミュニケーションズ…………………………………………74、75
サウジ・アラムコ（サウジアラビア）………………………………115、116
サウスウエスト航空（米）…………………………………………………44、45
サッポロホールディングス…………………………………………………81、84
サノフィ・アベンティス（フランス）………………54、88、168、171、175、176

大林組……146、149
沖電気工業……186
小田急電鉄……82、83
【カ】
カーギル（米）……132、133
ガーディアン（米）……164、165
カールスバーグ（デンマーク）……139
カシオ計算機……186
ガネット（米）……61、62
カネボウ……178
カネボウ化粧品……178、181
カルピス……127
カルピス味の素ダノン……127
カルフール（フランス）……19、20
カンタス航空（オーストラリア）……43
花王……178、181
鹿島……146、147
川崎汽船……46、50、51
川崎重工業……140、145
【キ】
キグナス石油……115
キッコーマン……130
キャセイ・パシフィック（香港）……43、153
キャタピラー（米）……202、203
ギャップ（米）……31
キヤノン……52、186、187
キヤリア（米）……144
キリン・トロピカーナ……129
キリンビール……126、129、137、138
キリンビバレッジ……128、129
キンバリー・クラーク（米）……162、163、179
起亜自動車（韓国）……202
京セラ……186
共同通信社……75
共同ピーアール……75
近鉄エクスプレス……49、50
【ク】
グーグル（米）……58、70、71、74
グッドイヤー（米）……198、203
グラクソスミスクライン（英）……54、88、173、174、176
クラフトフーヅ（米）……124、125、135
クリエイティブテクノロジー（シンガポール）……190、191
クレディ・アグリコール（フランス）……92、93
クレディ・スイス・グループ（スイス）……54、95
クレディ・スイス・ファースト・ボストン（スイス）……98
クレディ・リヨネ（フランス）……93

出光石油化学……169
伊藤忠商事……30、80、122
【ウ】
ヴァージンアトランティック航空（英）……44、45
ヴァリグ・ブラジル航空（ブラジル）……41
ヴァンシ（フランス）……147、148
ヴィヴェンディ・ユニバーサル（フランス）……57、58
ウィンド（イタリア）……65
ウェアハウザー（米）……163
ウエラ（ドイツ）……180、181
ウェルズファーゴ（米）……91、92、95
ウォルト・ディズニー（米）……53、56、58、59、62、87
ウォルマート・ストアーズ（米）……18、19、20
ウォルグリーンズ（米）……21
【エ】
エーザイ……173、174
エールフランス―ＫＬＭ（フランス・オランダ）……42、45
エア・カナダ（カナダ）……41
エア・チャイナ（中国）……44、45、54、112、150、152、153
エアボーン（米）……37
エアドゥ……41、42
エアバス（フランス）……143
エアリンガス（アイルランド）……43
エイゴン（オランダ）……102、105
エイサー（台湾）……194
エイボン（米）……181
エクセル（英）……37、38
エクソンモービル（米）……114、115、118
エスエスケイ……35
エスエス製薬……172
エスティローダー（米）……180、181
エバーグリーン・マリン（台湾）……47、51
エリクソン（スウェーデン）……188、189
エルピーダメモリ……193
エレクトロニック・データ・システム→ＥＤＳ
エレクトロラックス（スウェーデン）……184、185
【オ】
オーストリア航空（オーストリア）……41
オーチス（米）……144
オールステート（米）……109
オウシャン（フランス）……21
オムニコム・グループ（米）……72、73
オラクル（米）……196、197
オリエンタルランド……59
オンワード樫山……30
王子製紙……162、163

アップル・コンピュータ（米）……190、191、193
アディダス・サロモン（ドイツ）……32、33、34
アドルフ・クアーズ（米）……136、139
アホールド（オランダ）……19、20、23、24
アボットラボラトリーズ（米）……176、177
アマゾン・ドット・コム（米）……70、71
アメアスポーツ（フィンランド）……33、34
アメリカ・オンライン（米）……57、58、70、71
アメリカン・エキスプレス（米）……40、99
アメリカン航空（米）……40、43
アメリカンホーム保険……107、108
アライアンス・ユニケム（英）……23
アライド・ドメック（英）……138、139
アリタリア航空（イタリア）……42、43、45
アリアンツ（ドイツ）……106、107
アリコジャパン……107、108
アルキャン（カナダ）……123
アルコア（米）……120、123
アルセロール（ルクセンブルク）……156、157、159
アルトリアグループ（米）……124、125、134、135、139
アルバート・カルバー（米）……181
アルバートソンズ（米）……21
アルペン……35
アングロ・アメリカン（英）……118、119
アンハイザー・ブッシュ（米）……136、137
旭化成……166、167、169、171、183
旭硝子……164、165
味の素……125、127
味の素ゼネラルフーヅ……125
麻生ラファージュセメント……164、165
【イ】
イーベイ（米）……70、71
イーライリリー（米）……176、177
イオン……19、21
イトーヨーカ堂……20、22
イベリア航空（スペイン）……43
インコ（カナダ）……120、121
インターコンチネンタル・ホテルズ・グループ（英）……82、83
インターナショナルペーパー（米）……162、163
インターパブリック・グループ（米）……72、73、74
インテル（米）……192、193
インフィニオンテクノロジーズ（ドイツ）……171、192、193
インベブ（ベルギー）……136、137
インペリアル・タバコ（英）……135
石川島播磨重工業……144、145
伊勢丹……24、25

ＰＩＣＣ財産保険（中国）……154
ＰＩＣＣホールディング（中国）……108、112、154
ＰＳＡプジョーシトロエン（フランス）……111、201
ＰＰＲ（フランス）……25、28、29
ＳＡＢミラー（英）……124、125、134、136、139
ＳＡＢＩＣ（サウジアラビア）……170、171
ＳＡＰ（ドイツ）……196、197
ＳＢＣコミュニケーションズ（米）……68、69
ＳＣＡ（スウェーデン）……163
ＳＴマイクロエレクトロニクス（スイス）……192、193
Ｔモバイル（ドイツ）……65
ＴＢＳ……98
ＴＣＬ集団（中国）……112
ＴＮＴ（オランダ）……37、38
ＵＢＳ（スイス）……92、93
ＵＰＩ（米）……61
ＵＰＭキュンメネ（フィンランド）……163
ＵＰＳ（米）……38、39
ＵＳエアウェイズ（米）……40、41
ＵＳスチール（米）……161
ＷＭＣリソーシズ（オーストラリア）……119、121
ＷＰＰグループ（英）……72、74、75
【ア】
アーチャー・ダニエルズ・ミッドランド（米）……132、133
アイアンドエス・ビービーディオー……73、74
アイ・オー・データ機器……190、191
アイシン精機……203
アイベックスエアラインズ……41、42
アイリバー・ジャパン……190、191
アヴィヴァ（英）……103、104、108
アウトストラーデ（イタリア）……30
アエロメヒコ（メキシコ）……45
アクサ（フランス）……102、103
アクサジャパンホールディングス……103
アクサ生命保険……103
アクサ損害保険……103
アクセンチュア（米）……197
アクゾノーベル（オランダ）……166、167、169、170
アコーディア・ゴルフ……98、99
アコー・ホテルズ（フランス）……81、82
アサツーディ・ケイ……74、75
アサヒビール……126、137、138
アシアナ航空（韓国）……41
アシックス……32、35
アステラス製薬……172、177
アストラゼネカ（英）……175、176

ＥＡＤＳ（オランダ）……142、143
ＥＤＳ（米）……196、197
ＦＥＴテレコム（台湾）……65
ＦＯＸ（米）……56、61
ＧＥ（米）……40、52、53、56、57、58、87、144、145、183
ＧＥキャピタル・サービシズ……145
ＧＥ東芝シリコーン……145
ＧＥファナック・オートメーション……145
ＧＭ（米）……111、197、198、199、200
ＨＢＯＳ（英）……95
ＨＰ（米）……53、88、186、187、194、195
ＨＳＢＣホールディングス（英）……92、93
ＩＢＭ（米）……52、53、87、186、187、192、193、194、195、196
ＩＮＧグループ（オランダ）……102、103、104
ＩＮＧ生命……103
ＩＳＧ（米）……157、158
Ｊ＆Ｊ（米）……53、87、173、174、180、181
ＪＡＬ→日本航空
ＪＣペニー（米）……21、24
ＪＦＥホールディングス……156、159
ＪＰモルガン・チェース（米）……92、93
ＪＴ……124、126、134、135
ＪＴＢ……108
ＪＲ東海……79
Ｋマート（米）……21、22、23
ＫＤＤＩ……66
ＫＬＭ（オランダ）……42
ＬＧ電子（韓国）……182、185、189
ＬＧフィリップスＬＣＤ（韓国）……184
ＬＶＭＨモエ・ヘネシー・ルイ・ヴィトン（フランス）……26、27、28
ＭＣＩ（米）……68、69
ＭＧＭ（米）……62、63、69
ＭＩＳＣ（マレーシア）……49
ＭＴＳ（ロシア）……65
ＭＳＣ（スイス）……47、50、51
ＮＢＣ（米）……56、57
ＮＢＣユニバーサル（米）……57、58
ＮＥＣ……188、189、193、194、195
ＮＥＣエレクトロニクス……182、192、193
ＮＴＴ……64、65
ＮＴＴドコモ……65、69、147、148、151
ＮＴＴ西日本……65
ＮＴＴ東日本……65
ＯＯＣＬ（香港）……49、51
Ｐ＆Ｇ（米）……162、163、179、180、181
Ｐ＆Ｏネドロイド（オランダ・英）……47、48、49、51

# 企　業　索　引

【A－Z】

ＡＢＣ（米）……56、59
ＡＢＮアムロ（オランダ）……108
ＡＢＮアムロ・ホールディングス（オランダ）……95
ＡＣＳ（スペイン）……149
ＡＩＧ（米）……54、87、106、107、112、154
ＡＩＧエジソン生命……107、108、109
ＡＩＧスター生命……107、108
ＡＩＵ保険……107、108
ＡＫスチール（米）……159
ＡＭＤ（米）……197
ＡＮＡ→全日本空輸
ＡＯＣホールディングス……115、116
ＡＯＬ→アメリカ・オンライン
ＡＰ（米）……61
ＡＰＬ（米）……51
ＡＰモラー・グループ（デンマーク）……46、47、51
ＡＴ＆Ｔ（米）……68、69
ＢＡＥシステムズ（英）……142、143
ＢＡＳＦ（ドイツ）……166、167、169、170
ＢＡＳＦ出光……169
ＢＡＳＦ武田ビタミン……169、170
ＢＡＴ（英）……134、135
ＢＨＰビリトン（英・オーストラリア）……118、119、120、121、122
ＢＭＡ（オーストラリア）……121
ＢＭＧ（ドイツ）……63
ＢＭＷ（ドイツ）……200、201
ＢＮＰパリバ（フランス）……93、102、103
ＢＰ（英）……18、114、115、118
ＢＴ（英）……67
ＣＢＳ（米）……56、61
ＣＦＪ……91、94
ＣＭＡＣＧＭ（フランス）……50、51
ＣＮＨグローバル（オランダ）……202、203
ＣＮＮ（米）……57
ＣＮＰアシュアランス（フランス）……105
ＣＰシップス（英）……51
ＣＲＨ（アイルランド）……164、165
ＣＶＳ（米）……21
ＤＨＬ（米）……37、38
ＤＩＣバイエルポリマー……169
Ｅプルス（ドイツ）……65

## 本書での為替レートと表記

本書で使用している為替レートは以下のとおりです。

1ドル＝115円　1ユーロ＝140円　1ポンド＝200円
1スイスフラン＝90円　1スウェーデンクローナ＝15円
1デンマーククローネ＝18円　1サウジアラビアリアル＝30円
1南アフリカランド＝19円　1カナダドル＝101円
1ブラジルリアル＝55円　1オーストラリアドル＝87円
1香港ドル＝15円　1台湾ドル＝3.5円　1元（中国）＝14円
1ウォン（韓国）＝0.1円

※図表のカッコ内は決算期を示しています。たとえば（05.12）は、05年12月期決算を意味しています。
※企業の国名はできるだけ簡略化しないで表記しています。ただし、スペースの関係で「アメリカ＝米」「イギリス＝英」「フランス＝仏」「ドイツ＝独」「イタリア＝伊」「カナダ＝加」「オーストラリア＝豪」「韓国＝韓」「中国＝中」となっている場合もあります。
※海外企業のカタカナ表記、「・（中黒）」は、日本で有価証券報告書等を開示している場合は原則それに従いました。

本書は、本文庫のために書き下ろされたものです。

ビジネスリサーチ・ジャパン

1995年設立。代表・鎌田正文。

週刊誌や月刊誌、経済誌などを中心に、金融・流通・サービス・メーカーなどの各分野から、広く経済全般まで取材・執筆している「現代情報研究所」。"ビジネスに役立つ"先を読む力がつく"情報を収集・提供することをモットーに、経済や企業にまつわる情報を発信している。

著書に、『最新2006年版《図解》業界地図が一目でわかる本』『2006年版《図解》IT・ネット業界地図が一目でわかる本』(以上、三笠書房刊《知的生きかた文庫》)などがある。

知的生きかた文庫

2006年版
図解 世界の業界地図が一目でわかる本

著者　ビジネスリサーチ・ジャパン
発行者　押鐘冨士雄
発行所　株式会社三笠書房

郵便番号一一二-〇〇〇四
東京都文京区後楽一-四-一四
電話〇三-三八一三-二六(営業部)
　　　〇三-三八一四-二一二八(編集部)
振替〇〇一三〇-八-一三〇六九六
http://www.mikasashobo.co.jp

印刷　誠宏印刷
製本　宮田製本

© Business Research Japan,
Printed in Japan
ISBN4-8379-7553-4 C0133

落丁・乱丁本は当社にてお取替えいたします。
定価・発行日はカバーに表示してあります。

C20002